Sylvie Benoit

Je révise
avec mon enfant

Français
Mathématique
Science et technologie

Premier cycle
1re année

TRÉCARRÉ
QUEBECOR MEDIA

Catalogage avant publication de Bibliothèque et Archives Canada

Benoit, Sylvie, 1959-

Je révise avec mon enfant 1re(-6e) année

Nouv. éd.

Sommaire: (1) 1ère année — (2) 2e année — (3) 3e année — (4) 4e année — (5) 5e année — (6) 6e année.

Pour les élèves du niveau primaire.

ISBN 2-89568-228-3 (v. 1)
ISBN 2-89568-229-1 (v. 2)
ISBN 2-89568-230-5 (v. 3)
ISBN 2-89568-231-3 (v. 4)
ISBN 2-89568-232-1 (v. 5)
ISBN 2-89568-233-X (v. 6)

1. Français (Langue) - Problèmes et exercices - Ouvrages pour la jeunesse. 2. Mathématiques - Problèmes et exercices - Ouvrages pour la jeunesse. 3. Sciences - Problèmes et exercices - Ouvrages pour la jeunesse. 4. Enseignement primaire - Participation des parents. I. Titre.

PC2112.5.J399 2004   448.2'076   C2004-941365-1

Composition et mise en pages : Interscript
Conception et réalisation de la couverture : Cyclone design communications
Illustrations : Marthe Boisjoli
Révision linguistique : Marie Rose de Groof

Note : L'auteure tient à remercier les auteurs de *Ami-mots 1* ainsi que Les Éditions du Trécarré qui lui ont permis d'utiliser certains exercices de l'ouvrage précédemment mentionné.

Nous reconnaissons l'aide financière du gouvernement du Canada par l'entremise du Programme d'aide au développement de l'industrie de l'édition (PADIÉ) pour nos activités d'édition ; du Conseil des arts du Canada; de la SODEC ; du gouvernement du Québec par l'entremise du Programme de crédit d'impôt pour l'édition de livres (gestion SODEC).

ISBN 2-89568-228-3

Dépôt légal 2004
Bibliothèque nationale du Québec

Éditions du Trécarré,
division de Éditions Quebecor Media inc.
7, chemin Bates
Outremont (Québec)
H2V 4V7

Imprimé au Canada
2 3 4   07 06 05

TABLE DES MATIÈRES

MATHÉMATIQUE

SCIENCE ET TECHNOLOGIE

MOT DE L'AUTEURE

L'intérêt manifesté par les parents à l'égard des nouvelles connaissances de leur enfant n'est plus à démontrer. Ce sont eux qui ont applaudi avec enthousiasme à ses premiers pas, à ses premiers mots et, de tout ce savoir, ils sont en grande partie responsables. Pourtant, ils doivent désormais passer le flambeau. Après la maternelle, voici la première année.

Dans tout le processus d'apprentissage scolaire, le parent joue un rôle irremplaçable auprès de l'enfant. L'enseignant aussi, il est vrai. Cependant, l'enseignant possède le matériel requis pour instruire l'enfant durant tout son cheminement. Le parent, quant à lui, dispose de peu de moyens en ce sens.

C'est donc en pensant aux parents que nous avons conçu ce guide. Il n'a pas la prétention d'être un manuel scolaire, et ce n'est pas son but. Nous avons voulu qu'il soit un auxiliaire pour les parents. Notre plus grand souhait est de le voir utilisé comme complément efficace au travail scolaire. Bien que ce guide soit conforme aux normes fixées par le ministère de l'Éducation, il ne remplace pas le matériel de classe, aussi faudra-t-il parfois recourir à ce dernier.

Quelques conseils...
Posez des questions à brûle-pourpoint sur des choses que l'enfant vous dit avoir apprises en classe... et ne manquez pas de vous émerveiller devant tant de savoir.

Plus votre enfant progressera dans son année scolaire, plus il acquerra de notions et plus étendu sera le réseau de connaissances ainsi tissé. Les pédagogues le savent : un édifice en construction doit reposer sur des fondations solides si l'on veut pouvoir bâtir en hauteur. Il est donc important de vérifier si les connaissances de base sont bien maîtrisées avant qu'il n'en apprenne d'autres. Rappelez-vous enfin qu'un apprentissage ne se fait pas toujours en une fois. Laissez à l'enfant le temps d'oublier ce qu'il a appris. Lorsque la matière lui sera de nouveau présentée, il aura acquis plus de maturité et prendra mieux conscience de ce que l'on attend de lui.

En résumé, soyez patient, attentif aux efforts de l'enfant, félicitez-le quand il le mérite et ne brûlez pas les étapes...

Comment utiliser ce livre
Cet ouvrage renferme les principales notions du programme pour la 1re année. Pourquoi pas tous ? Parce que nous n'espérons pas que votre cuisine se transforme en salle de classe. Pendant la journée, votre enfant va à l'école et y apprend la matière enseignée ; en participant à des projets pédagogiques variés, il acquiert les savoirs essentiels du programme et développe de multiples compétences.

Le soir venu, il ne tient pas à retourner en classe, mais les quelques exercices faits sous vos yeux vous apprendront s'il a compris cette matière ou s'il a besoin d'aide.

Ce livre comprend trois parties :

FRANÇAIS

MATHÉMATIQUE

SCIENCE ET TECHNOLOGIE

Chacune des parties se divise en séries d'activités qui correspondent au programme du ministère de l'Éducation.

Au début de chaque série d'activités, une page est réservée aux parents. On y indique les notions révisées, les savoirs essentiels et les stratégies employées dans les exercices. Vérifiez d'abord si l'enfant a reçu cet enseignement spécifique en classe. Ce n'est qu'à cette condition qu'il sera apte à **réviser** en votre compagnie. Dans ces mêmes pages, tout au long de l'ouvrage, vous trouverez un « conseil pratique » de l'auteure soit sur un sujet général, soit sur la matière vue dans les exercices qui suivent.

Enfin, si vous doutez des réponses à certains exercices ou si la terminologie ne vous est pas familière, recourez au corrigé et au lexique qui se trouvent à la fin du volume.

Sylvie Benoit

*C'est l'alphabétisation d'immigrants allophones qui a d'abord amené **Sylvie Benoit** dans le domaine de l'enseignement. Par la suite, elle a enseigné le français comme langue maternelle et langue seconde, et l'espagnol comme langue maternelle à des adultes de tous âges. L'aînée de ses deux enfants faisant son entrée scolaire et n'ayant rien sous la main pour la supporter et lui venir en aide en cas de difficulté, elle a écrit et conçu ce guide afin de répondre à ce besoin.*

FRANÇAIS

Ce programme comporte 3 volets étroitement liés.

1. La lecture

- Lire de courts textes de différentes formes (conte, poème, texte littéraire, affiche).
- Apprendre à reconnaître les termes fréquemment utilisés dans différents contextes.
- Savoir décomposer les mots nouveaux (les épeler, les découper en syllabes) et recourir au contexte pour les comprendre.
- Connaître et se servir de la ponctuation et des liens grammaticaux pour comprendre la phrase.
- Observer des exemples de régularité (le genre, le nombre).

2. L'écriture

- Reproduire des mots, puis des phrases et enfin de courts textes.
- Apprendre et respecter l'orthographe des mots.
- Apprendre à ponctuer.
- Utiliser les termes corrects.
- Connaître l'orthographe d'usage des mots à écrire.

3. La communication orale

- Exprimer ses sentiments.
- Décrire et comparer des réalités.
- Relater une activité.
- Poser des questions en vue d'obtenir de l'information.

ACTIVITÉ 1

FRANÇAIS

Notions révisées

- L'alphabet
- Les sons et les voyelles : *a, e, i, o, u, é, è*
- Les mots-outils *un, une, le, la, c'est*
- Les couleurs *bleu, rose, rouge, blanc*

ATTENTES DE FIN DE CYCLE	STRATÉGIES
Écouter, observer et reconnaître des sons.	Mettre en relation le son que l'enfant lit et la voyelle qu'il voit.
Identifier et reproduire les voyelles.	Repérer les voyelles dans un mot.
Étudier et reproduire certains petits mots (les mots-outils).	Lire des phrases qui contiennent des mots-outils.
S'exercer à lire et à écrire.	Mettre en relation le mot entendu et l'image vue.

CONSEIL PRATIQUE

L'enfant doit rapidement développer son habileté à lire, c'est-à-dire regarder de moins en moins les images et de plus en plus les lettres (les mots). Vous pouvez fabriquer un cache en carton pour l'aider à prendre cette habitude. Progressivement, couvrez l'image à l'aide du cache et demandez-lui de lire le mot.

Les lettres minuscules

a b c d e f g

h i j k l m n

o p q r s t u

v w x y z

1. Voici des sons : a   e   i   o   u   é   è

Entoure ceux que tu connais. Écris ces sons.

a _____

e _____

i _____

o _____

u _____

é _____

è _____

TRUC

Si ces lettres (sons) ne sont pas déjà connues de votre enfant, demandez-lui de les énoncer à voix haute en même temps qu'il les écrit.

---

2. Relie les images aux lettres que tu entends.

a

e

i

o

u

é

è

fée

fève

chat

livre

ruche

dos

Il te reste une lettre, laquelle ? _____ C'est une lettre

secrète du français. Tu l'écriras très souvent mais tu ne l'entendras pas toujours.

3. Entoure tous les **o**.

e o c o d q p o t g o r b l o a l w o è y l

4. Écris la lettre **o**.

_____

_____

5. Entoure tous les **é**.

e ê c é a t p e é h a é d m o a i é a è u r

6. Écris la lettre **é**.

_____

_____

7. Nomme les images à voix haute. Entoure la lettre **i** des mots écrits au-dessous.

lit   nid   livre   midi

8. Lis en t'aidant de l'image.

un lit   **le** lit   **c'est** un lit

le livre   **un** livre   **c'est** le livre

un nid   **c'est** un nid   **le** nid

9. Nomme les images à voix haute. Entoure les **mots** qui contiennent la lettre **a**.

porte   chat   girafe   papillon   toupie

10. Nomme les images à voix haute. Entoure la lettre **u** des mots écrits au-dessous.

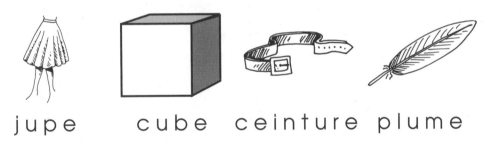

j u p e   c u b e   c e i n t u r e   p l u m e

11. Nomme les images à voix haute. Entoure les **mots** où tu entends la lettre **u**.

allumette   tomate   autruche   tortue

12. Lis en t'aidant des images.

une tomate   c'est une tomate
la tomate

une tortue   la tortue
c'est une tortue

c'est un chat   un chat
le chat

13. Nomme les images debout à voix haute.
   Entoure la lettre o des mots écrits au-dessous.

c a n o t   b o b i n e   p e r r o q u e t

c a r o t t e   p i p e

**14. Nomme les images à voix haute. Entoure la
   lettre a des mots écrits au-dessous.**

t a b l e   c a m i o n   c h i e n

t o m a t e

p o u p é e

15. Nomme les images. Ajoute la lettre manquante à l'intérieur des mots écrits au-dessous.

c _a_ squette   l _i_ vre   poup _é_ e

ch _a_ t   toup _i_ e   n _eu_ d

can _o_ t   tort _u_ e   bob _i_ ne

pl _u_ me   p _a_ pillon   c _u_ be

perr _____ quet   sold _____ t   j _____ pe

16. Lis les phrases suivantes.

 C'est une toupie **rouge**.

 C'est une jupe **rose**.

 C'est un cube **bleu**.

 C'est un papillon **blanc**.

17. Lis les mots sous chaque dessin. Colorie les dessins de la couleur indiquée.

  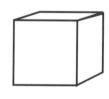 

rose   bleu   blanc   rouge

18. Colorie l'image que représente chaque phrase.

C'est une jupe rouge.

C'est une toupie rose.

C'est un cube bleu.

C'est un papillon bleu.

19. Copie les mots suivants de ta plus belle écriture.

rouge

rose

bleu

blanc

ACTIVITÉ 2

FRANÇAIS

Notions révisées

- L'alphabet
- Les consonnes *t, b, p, m*
- Les syllabes
- Le mot-outil *voici*
- Le genre

ATTENTES DE FIN DE CYCLE	STRATÉGIES
Introduire la notion de mot.	Compléter des mots en leur ajoutant des lettres.
	Découper les mots en syllabes.
Développer la mémoire.	Mémoriser une comptine.
S'exercer à lire et à écrire.	Repérer les lettres dans un mot.
Introduire la notion de genre.	Utiliser les mots-outils *un, une, le, la*.

CONSEIL PRATIQUE

Lorsque vous lisez un exercice à votre enfant, assurez-vous qu'il observe bien ce que vous lisez en pointant du doigt le mot que vous êtes en train de lire. Si, malgré cela, il semble éprouver des difficultés, ralentissez le débit de la lecture et soulignez du doigt chacune des voyelles prononcées. Articulez clairement la <u>voyelle</u> pointée, mais sans ralentir exagérément la lecture.

1. Relie les mots aux images.

girafe

papillon

pupitre

canot

tortue

carotte

2. Complète les mots en écrivant la ou les lettres qui manquent.

c ⎯ not   t ⎯ rtue   c ⎯ r ⎯ tte

p ⎯ pitre   g ⎯ r ⎯ f ⎯

3. Voici l'alphabet, le connais-tu ?

a b c d e f g h i j k l m n o p q r s t u v w x y z

Entoure toutes les lettres que tu connais. Copie-les ci-dessous.

_____

_____

4. Lis les mots suivants. Entoure la première lettre de chacun.

bobine   ballon

bouton   bûche

banane   bateau

brebis   balai

balle   biberon

bougie

5. Écris le déterminant **un** ou **une** devant les mots suivants.

_____ bobine   _____ bateau

_____ ballon   _____ brebis

_____ bouton   _____ balai

_____ bûche   _____ balle

_____ banane   _____ bougie

TRUC

Si votre enfant ne perçoit pas le genre des mots, mettez-le sur la piste : « Quand tu dis "la" devant un mot, tu utilises aussi "une" pour ce même mot parce que ce mot est du genre féminin ; c'est la même chose avec "le" et "un" pour un mot du genre masculin. »

6. Écris le déterminant **la** ou **le** devant les mots suivants.

_Le_ bobine   _Le_ bateau

_Le_ ballon   _Le_ brebis

_Le_ bouton   _Le_ balai

_La_ bûche   _La_ balle

_Le_ banane   _Le_ bougie

7. Connais-tu la lettre **b** comme dans « bobine » ? Copie-la sur la ligne suivante.

b _____

8. Unis la lettre **b** et chacun des sons que tu connais déjà. Lis-les et copie-les.

ba _____

be _____

bi _____

bo _____

bu _____

bé _____

bè _____

9. Apprends la comptine.

Une aiguille
Je te pique
Une épingle
Je te pince
Une agrafe
Je t'attrape

10. Lis les mots suivants.

agrafe   épingle   pince   aiguille   pique   attrape

11. Découpe les mots suivants de la même façon que tu les prononces. Écoute attentivement l'exemple.

Exemple : a/gra/fe

épingle   pince   pique   attrape

12. Voici la première partie de la comptine. Combien de mots a-t-elle ?

Une	aiguille	je	te	pique

Selon toi, qu'est-ce qu'un mot ?

13. Lis et copie les mots de la dernière ligne de la comptine.

_____

_____

_____

Combien de mots comptes-tu ? _____

14. Lis les mots. Entoure ceux qui contiennent la lettre **b**.

cheval   brebis

hibou   abeille

Quel mot n'est pas entouré ?

_____

_____

15. Colorie le cheval en brun, l'abeille en rouge, la brebis en bleu et le hibou en rose.

A C T I **2** V I T É

16. Lis les phrases suivantes. Écris le mot manquant.

a) Le   brun est parti à l'étable.

b) L'   vole sous la table.

c) Le   rose boude à l'école.

d) La   bleue dort dans l'étable.

17. Relie les mots suivants aux images correspondantes.

hibou

étable

cheval

brebis

16

18. Connais-tu la lettre **m** comme dans «maman»? Entoure les mots qui contiennent la lettre **m**.

macaronis   pomme

chat   matin

ami   vache

19. Utilise les mots de l'exercice précédent pour terminer les phrases suivantes.

a) Mario mange une   .

b) Mon   boit du lait.

c) Je joue avec mon   à l'école.

d) Maman prépare des   .

e) Le   , je déjeune.

f) Il y a une   dans le pré.

20. Combine la lettre **m** et les sons **a e i o u é è**.

m + a   ma

m + e   me

m + i   mi

m + o   mo

m + u   mu

m + é   mé

m + è   mè

21. Choisis la syllabe qui convient.

mme

po   pa   pé

man

mo   po   ma

teau

da   ba   do

bine

po   ba   bo

pitre

pu   pi   do

22. Nomme à haute voix ces images. Entoure l'image si tu prononces le son **t**.

maman   timbre   table

lunettes   tomate

23. Unis deux parties pour former un mot. Écris ce mot.

toma   tue

pu   tate

pa   pis

tor   pitre

ta   te

24. Lis les mots ci-dessous. Utilise-les pour terminer les phrases.

table   patin   tomate   cravate   toupie

C'est une   .

Voici une   .

C'est la   de papa.

Voici un   .

C'est une   .

25. Lis les mots. Souligne le **t et la lettre** qui l'accompagne pour former une syllabe.

pantalon   pétale   tasse

téléphone   tapis   guitare

FRANÇAIS

Notions révisées

- L'alphabet
- Les consonnes *d*, *f*, *l* et *s*
- Le *e* muet
- Les syllabes
- Le genre
- Le nombre

ATTENTES DE FIN DE CYCLE	STRATÉGIES
Introduire la notion de phrase.	Lire des mots et des phrases.
Introduire la notion de nombre.	Utiliser le déterminant *des*.
Développer la mémoire.	Mémoriser deux comptines.
S'exercer à lire et à écrire.	Lire des syllabes. Compléter des mots par des syllabes appropriées. Identifier le e muet à la fin de mots déjà lus.

CONSEIL PRATIQUE

À *ce stade, votre enfant fait des merveilles. Il s'initie au concept de la lecture. Encouragez-le à lire silencieusement. Rappelez-vous que cela se fait de façon progressive. Quand il lit, posez-lui quelques questions sur le texte pour vérifier son niveau de compréhension.*

1. Connais-tu la lettre **d** ? Récite l'alphabet et arrête-toi à la lettre **d**. Entoure les mots qui **contiennent** la lettre **d**.

pomme	domino	bulle	pédale

bobine	dé	dîner

2. Entoure les **d** parmi les lettres suivantes.

d   p   d   b   q   p

b   p   d   p   b

3. Apprends la comptine.

Qui se dandine ?
C'est le dindon dodu
Quand ses deux dindonneaux
Font dodo

Cherche les intrus : quels mots ne sont pas mentionnés dans la comptine ?

dindon   bonbon   dinde   cousines

dîner   dindonneaux   pincée

4. Écris **un** ou **une** devant les noms d'animaux.

_____ dindon   _____ brebis

_____ cheval   _____ tortue

_____ dinde   _____ papillon

5. Souligne les mots de l'exercice précédent devant lesquels tu pourrais écrire **le**. Ce sont des mots **masculins**.

6. Entoure le mot qui correspond à l'illustration.

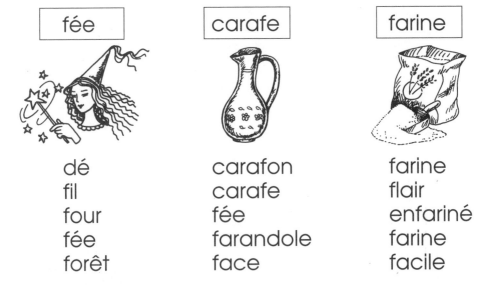

fée	carafe	farine

dé   carafon   farine
fil   carafe   flair
four   fée   enfariné
fée   farandole   farine
forêt   face   facile

7. Relie chaque mot au dessin qui le représente.

fil
forêt
pichet
fumée
farine
fée

8. Lis les deux lignes suivantes.

fa   fi   fé   fè   fo   fu   fa   fe   fu   fé   fi   fa   fo   fé   fu

de   le   du   la   c'est   un   de   la   une

**9. Lis les mots suivants et encercle ceux qui com-
mencent par la lettre l.**

lion   livre

ballon   lampe

lapin   losange

tulipe   étable

> **T R U C**
>
> *Donner des consignes
> sous différentes for-
> mes favorise l'appren-
> tissage de la langue.
> Si l'enfant ne com-
> prend pas la consigne,
> il vaut mieux para-
> phraser et, ensuite, lui
> relire la consigne.*

Combien de mots ne sont pas encerclés ? _____

**10. Lis les mots suivants. Souligne ceux qui contien-
nent la lettre l.**

cheval   blanc
lit   tortue
balle   tomate
bulle   plume
pédale   chat
girafe   nid
allumette   bleu
table   carotte

11. Écris **un** ou **une** devant les mots suivants.

_____ cheval   _____ allumette

_____ lit   _____ table

_____ balle   _____ blanc

_____ bulle   _____ plume

_____ pédale   _____ bleu

12. Lis la comptine. Réponds aux questions.

Il pleut, il mouille
C'est la fête de la grenouille
Quand il ne pleuvra plus
Ce sera la fête de la tortue

a) Ce sera la fête de qui quand il ne pleuvra plus ?

_____

_____

b) Quand il mouille, de qui est-ce la fête ?

_____

_____

13. Lis les mots de la page suivante. Entoure ceux qui se terminent par un **e** muet (que tu ne prononces pas).

mouille   fée   tortue

farine   dé   dîner

balle   bougie   fête

14. Quelles syllabes manquent ci-dessous ? Entoure les bonnes syllabes, puis écris-les.

....	po
pa _____ llon	pa
....	pi

....	ré
_____ rine	ra
....	fa

....	li
_____ mace	lo
....	lé

....	pa
pé _____ le	ba
....	da

15. Écris les lettres manquantes dans l'alphabet que voici.

_ _ c _ _ f g h _ j k _ m

n _ p q r s t _ v w x y z

Maintenant, essaie d'écrire tout seul les lettres de **a** à **f**.

_____

_____

16. Lis la comptine.

Le pou a triché
La puce en colère
Passe par-derrière
Et lui tire les cheveux
En disant : « Mon vieux
Tu n'es qu'un pouilleux ! »

Combien de mots commencent par la lettre p

dans la comptine ? _____

Lis les mots et observe attentivement les dessins suivants.

un tricheur

des tricheurs

une puce

des puces

Que remarques-tu ? Sais-tu pourquoi on ajoute
un **s** à **tricheur** et à **puce** ?

Quand on parle de plus d'une personne, de plus
d'un animal ou de plus d'une chose, on écrit un
s à la fin du mot. T'en souviendras-tu ?

17. Essaie de remplir tous les espaces, puis lis l'alphabet complet.

___ ___ ___ d ___ ___ g h ___ j k ___ m

n ___ ___ q r ___ t ___ v w x y ___

Bravo !

18. Dans l'alphabet, quelle lettre vient après le **t** ?

___
___
___

Avant le **t** ? _____

19. Lis les mots suivants. **Souligne** les mots féminins (la) et **entoure** les mots masculins (le).

la salle   le silo   le sofa

le sel   le sabot   la sève

le soja   le sol   la salade

le sud   le souper   le sourire

la soupape   le soulier   la soie

20. Remplace le **b** par un **s**, tu obtiendras un autre mot.

bol _____ ol

belle _____ elle

balle _____ alle

ACTIVITÉ 4

FRANÇAIS

Notions révisées

- L'alphabet
- La majuscule
- Les consonnes *k, n, r*
- Les graphies du son *o*
- La majuscule et le point dans la phrase

ATTENTES DE FIN DE CYCLE	STRATÉGIES
Introduire la ponctuation par le point final dans la phrase.	Isoler des mots dans une phrase en utilisant le point quand c'est nécessaire.
Connaître l'orthographe avec le son **o**.	Faire des exercices de lecture et d'écriture avec les différentes graphies du son **o**.
Introduire le code grammatical (la majuscule).	Isoler des mots dans une phrase en utilisant la majuscule quand c'est nécessaire.
Développer la mémoire.	Mémoriser une chanson.
S'exercer à lire et à écrire.	

CONSEIL PRATIQUE

L'orthographe n'est pas facile, elle est même parfois incohérente. Pourquoi, en effet, écrit-on *artichaut*, avec un *t* et *landau* sans *t*? Parce que c'est ainsi et pas autrement. Il faut l'apprendre telle qu'elle est.

Les lettres majuscules

A B C D E F G

H I J K L M N

O P Q R S T U

V W X Y Z

1. Lis la chanson suivante.

Au clair de la lune

Au clair de la lune,
mon ami Pierrot,
prête-moi ta plume
pour écrire un mot.
Ma chandelle est morte.
Je n'ai plus de feu.
Ouvre-moi ta porte,
pour l'amour de Dieu.

a) Copie exactement le mot qui vient après **mot**.
   Copie exactement le mot qui vient après **morte**.
   Copie exactement le mot qui vient après **feu**.

b) La première lettre de ces mots est une
   majuscule. Quels autres mots commencent
   par une **majuscule** et se trouvent à l'intérieur
   d'une phrase ?

> Une phrase est un ensemble de mots
> qui commence par une lettre majuscule
> **et** se termine par un point.

c) Combien de phrases comptes-tu dans la
chanson **Au clair de la lune** ? Pour le savoir,
souligne la **majuscule** et le **point** de chaque
phrase. Attention ! Un mot qui commence par
une majuscule ne représente pas toujours

le début d'une phrase. _____

2. Relis attentivement la chanson. Sépare correctement les mots ci-dessous. Copie les phrases.
Utilise des majuscules lorsque c'est nécessaire et
termine les phrases par un point.

auclairdelalunemonamipierrot

_____

_____

prête-moitaplumepourécrireunmot

_____

_____

machandelleestmortejen'aiplusdefeu

_____

_____

ouvre-moitaportepourl'amourdedieu.

_____

_____

3. Dans chaque colonne, entoure le mot identique au modèle.

bravo	jaune	chapeau	tortue

bateau	jumeau	chameau	tortue
drapeau	jaune	peau	râteau
rigolo	judo	chapeau	sortie
bravo	jeune	château	mauve

4. Relie le mot à l'image.

pomme   sabot

domino   oiseau

escabeau   ciseau

artichaut   landau

pot   rideau

marteau   guimauve

auto   autruche

5. Classe les mots de l'exercice n° 4 d'après l'orthographe du son o.

o	au	eau

6. Lis les mots suivants dans l'ordre (de gauche à droite) et dans le désordre.

eau   beau   peau   os   veau   seau   au   dos

7. Entoure les lettres qui représentent le son o.

Mon père prépare une compote.

Il lui faut des pommes, un peu
d'eau, une casserole et un couteau.

Mon père pèle les pommes,
il leur enlève la peau. Il les
met dans la casserole avec
de l'eau.

Il ajoute un peu de sucre.
Il met la casserole sur le feu.

J'emporterai de la compote
à l'école. Youpi !

8. Voici des parties d'alphabets incomplets. Saurais-tu les compléter ? Attention ! Il faut parfois écrire des lettres majuscules.

A __ C D E __ G H __ J K __ __ N __ .

M __ __ __ Q R S __ __ V __ __ .

c d __ __ g __ __ __ k l __ __ __ __ q r.

9. Récite à nouveau l'alphabet : a b c d e f g h i j **k**...

Lis les mots. Entoure ceux qui contiennent la lettre **k**.

camion   karaté

cage   haricot

Dominik   capot

kiwi   koala

képi

Continuons la récitation : l m **n** o p q **r** s t u v w x y z.

Connais-tu les deux lettres en caractères gras ?

10. Écris de ta plus belle écriture une ligne de **n** et une ligne de **r**.

n _____

r _____

11. Utilise le **n** ou le **r** pour compléter les mots suivants.

couleu __   ca __ otte   domi __ o

moi __ eau   tau __ eau   ba __ ane

__ ideau   déjeu __ er   ja __ din   fe __ être

12. Colorie en bleu tous les **n**.

n	m	r	w	u	n	u	n	v	n	w	u	n	m

ACTIVITÉ 5

FRANÇAIS

Notions révisées

- Les graphies du son **è**
- Les consonnes *c* et *g*
- La définition d'un mot

ATTENTES DE FIN DE CYCLE	STRATÉGIES
Connaître l'orthographe avec le son **è**.	Effectuer des exercices de lecture et d'écriture avec les différentes graphies du son **è**.
Comprendre un texte.	Répondre à des questions sur un poème.
Comprendre un mot.	Relier des mots à leur définition.
S'exercer à lire et à écrire.	

CONSEIL PRATIQUE

Pour bien lire un mot comportant un son composé de deux lettres et plus (ex. : baleine), il faut que l'enfant lise le mot globalement plutôt que de le segmenter en syllabes. Pour maîtriser l'orthographe de ces mots, rien ne vaut une bonne dictée.

La pêche à la baleine

À la pêche à la baleine,
à la pêche à la baleine,
disait le père d'une voix courroucée*
à son fils Prosper,
sous l'armoire allongé,
à la pêche à la baleine,
à la pêche à la baleine,
tu ne veux pas aller,
et pourquoi donc ?
Et pourquoi donc que j'irais
pêcher une bête qui ne m'a
rien fait, papa ?

Jacques PRÉVERT

Paroles, p. 20, Éd. Gallimard, 1949.

Courroucée : irritée

> **T R U C**
>
> *Vous pouvez chercher la définition d'un mot dans le dictionnaire. Vous démontrez ainsi son utilité.*

1. **Raconte le poème dans tes propres mots. Réponds aux questions suivantes.**

   Qui ne veut pas aller à la chasse à la baleine ?

   C'est _____.

   Où se trouve Prosper ? Il est _____.

   Pourquoi le fils Prosper ne veut-il pas aller à la

   pêche à la baleine ? _____

   _____

   _____

2. Relis attentivement les mots suivants, puis copie-les.

pêche	baleine	père	laine

3. Lis attentivement les mots suivants. Entoure ceux dont le son è s'écrit ⓔ. Souligne ceux dont le son è s'écrit a̲i̲.

lèche	baleine	reine	
neige	vipère	maison	
laine	tête	beige	
faire	rêve	mère	
marraine	même	pêche	
poème	maire	très	
bedaine	fenêtre	aide	
bête	élève	laide	

4. Relie la définition au mot approprié.

1. sève
2. rêve
3. liège
4. enneigé
5. arrêt

a. Avec moi, on fait des bouchons.
b. Couvert de neige.
c. Grâce à moi, on voit à l'extérieur.
d. Je coule à l'intérieur des plantes.
e. Avoir un gros chagrin c'est avoir de la...

6. peine   f. C'est la nuit que j'arrive.

7. fenêtre   g. Je me trouve au coin de plusieurs rues.

5. La lettre **c** possède deux sons : un doux et un dur.

c + a = dur   c + o = dur

camion   col

c + u = dur   c + e = doux   c + i = doux

cupidon   cerise   ciseaux

Lis les mots en t'aidant des images. Entoure les ⓒ doux. Souligne les <u>c</u> durs.

colle   capot   cime

 puce   pièce   caisse

couteau   cachalot   école

maculé   courage   cuve   cinéma

6. La lettre **g** suit la même règle.

g + a = dur
gare

g + o = dur
gomme

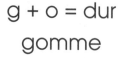

g + u = dur
légumes

g + e = doux
neige

g + i = doux
bougie

Lis les mots ci-dessous.

neige

bagarre

goglu

girafe

garage

bougie

solfège

légume

gigot

Margot

gîte

gâté

7. Copie les mots de l'exercice précédent. Place en haut les **g** doux, place en bas les **g** durs. Attention ! Deux de ces mots se placent en haut **et** en bas.

g doux				
g durs				

FRANÇAIS

Notions révisées

- L'alphabet
- La majuscule
- Le mot dans la phrase
- Le son *ch*
- Les consonnes *h* et *v*
- Les mots apparentés par le son
- Les mots de même famille

ATTENTES DE FIN DE CYCLE	STRATÉGIES
Connaître l'orthographe grammaticale avec le son *h*.	Effectuer des exercices de lecture et d'écriture avec la lettre *h*.
Comprendre un texte.	Isoler des mots dans une phrase.
Connaître le code grammatical (la majuscule).	Recopier des phrases en utilisant la majuscule.
S'exercer à lire et à écrire.	

CONSEIL PRATIQUE

Quel que soit son niveau d'apprentissage de la lecture, votre enfant tirera toujours profit que vous lui lisiez une histoire. Le moment idéal reste encore l'heure du coucher. Le fait de lire une histoire à votre enfant développe son goût pour la lecture.

1. Écris des phrases complètes en utilisant les mots ci-dessous.

Marcel   lèche   cheval   chat   fil   vache

Ensuite, copie la phrase complète.

a) Le ___chat___ ___lèche___ le bol.

_____
_____

b) La ___vache___ et le ___cheval___ sont dans le pré.

_____
_____

c) _Marcel_ achète du _fil_ .

Que remarques-tu lorsque tu observes le premier mot des phrases précédentes? **Le** **La** **Marcel**

2. Récris les mots manquants de la comptine en utilisant la majuscule à chaque début de ligne.

je te donne pour ta fête

_____ pour ta fête

un chapeau de noisettes

_____ de noisettes

un petit sac de satin

_____ de satin

pour le tenir à la main

_____ le tenir à la main

un parasol en soie blanche

_____ en soie blanche

avec des glands sur le manche

....

_____ des glands sur le _____

....

un habit doré sur tranche

....

_____ doré _____ tranche

....

des souliers couleur orange

....

_____ souliers couleur orange

....

ne les mets que le dimanche

....

_____ les mets que le _____

....

un collier, des bijoux

....

_____ collier, _____ bijoux

....

tiou !

....

_____ !

....

Max JACOB

3. Barre les mots qui n'appartiennent pas à la comptine.

chaussure	parasol	voici	habit	satin
manche	pain	donneur	rouge	chapeau

4. Lis les syllabes dans l'ordre (de gauche à droite en commençant par la première ligne), puis dans le désordre.

va	var	ul	vol
vul	el	vel	vur
ver	vi	vé	vu
vir	vè	vil	val
al	ve	vo	ol

5. Par quelle lettre débutent la plupart de ces syllabes? _____

6. Connais-tu la lettre **v**? Copie une ligne de **v** de ta plus belle écriture.

_____

_____

7. Voici des parties d'alphabets. Saurais-tu combler les vides?

a ___ c d ___ f g h ___ j k l ___ n.

___ g h ___ j k ___ ___ n ___ p.

q ___ ___ ___ u ___ w x y ___.

8. Lis... c'est étonnant!

ha = a   he = e   hé = é

hi = i   ho = o   hu = u   hè = è

9. Choisis le mot approprié selon la phrase ou l'image.

fête

Je te donne pour ta _____

bête

bateau

Un _____

chapeau

suc

Un petit _____

sac

10. Classe correctement les mots dans les deux colonnes de la page suivante.

chapeau   héron   hôpital

hublot   cheminée   chicorée

habit   chameau   horloge

hérisson   chemise   chocolat

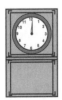   harpe   halte   haltère

chaloupe   chicane

CH	H

11. **Barre le mot qui ne fait pas partie de la même famille.**

cheveu	hélice	hirondelle
chevelu	héron	horloge
cheval	hélicoptère	hibou
hérisson	huit	hivernal
héron	hublot	histoire
herbe	huitaine	hiver

12. Sépare par une barre les mots des phrases suivantes.

Lechienlèchelebolldelaitetlechatleregarde.

Lechevaletlavachesontdanslepré.

Jetedonnepourtafêteunbeaucadeau.

A C T I V I T É **7**

FRANÇAIS

Notions révisées

- Les sons *oi*, *eu*, *ou* et *gn*
- La liaison
- Les mots invariables *qui*, *jamais*, *trop* et *aussi*
- Les homonymes
- Le nombre
- Les lettres muettes

CONSEIL PRATIQUE

Il se peut qu'à un moment donné tous les sons se mélangent au moment de la lecture. Patience! Si vous persistez à faire lire votre enfant, cela finira bien par se corriger. Il est très important que votre enfant fasse ses devoirs et sa lecture régulièrement et non par à-coups. C'est en lisant régulièrement qu'il deviendra bon lecteur, mais vous le saviez déjà... S'il éprouve de la difficulté à lire dans ses cahiers d'exercices, faites-lui constater que le monde extérieur (vitrines, journaux, encarts publicitaires) utilise ce même code qui lui pose tant de problèmes, mais que beaucoup de gens semblent connaître et trouver fort pratique.

ATTENTES DE FIN DE CYCLE	STRATÉGIES
Comprendre la phrase.	Utiliser le mot-outil approprié dans une phrase.
Comprendre un texte.	Répondre à des questions sur le texte.
Connaître le code grammatical (le nombre).	Trouver le pluriel.
Compléter des mots de même famille.	
S'exercer à lire et à écrire.	Identifier les mots comportant les sons **oi**, **eu**, **ou** et **gn**.

A C T I V I T É **7**

1. Lis à haute voix les groupes nominaux suivants et fais les liaisons indiquées.

les amis   les arbres   les herbes

une hutte un ordre   les hiboux

mes amis   une horloge

un héros  un âne

2. Lis les exemples et termine l'exercice.

Je vois un arbre.   Je vois **des arbres**.

Je vois l'oie.   Je vois **les oies**.

a) Je parle à un enfant.

    Je parle à ____ _____.

b) Je prends un outil.

    Je prends ____ _____.

c) Je lis une histoire.

Je lis _____ _____ .

d) Les singes sont au zoo.

_____ _____ est au zoo.

e) Je vois un ami.

Je vois _____ _____ .

f) L'abeille est dans la ruche.

_____ _____ _____ dans la ruche.

3. Lis la comptine et réponds aux questions.

Il était une fois
Une marchande de foie
Qui vendait du foie
Dans la ville de Foix
Elle se dit : « Ma foi !
C'est la dernière fois
Que je vends du foie
Dans la ville de Foix. »

a) Que vendait la marchande ?

_____

_____

b) Dans quelle ville était la marchande ?

_____

_____

c) Selon toi, pourquoi dit-elle que c'est la dernière fois qu'elle vend du foie ?

....

....

....

d) De combien de façons écrit-on le son **foi** dans
la comptine ? Écris-les.

....

....

....

4. Lis les mots suivants et entoure les lettres **oi**.

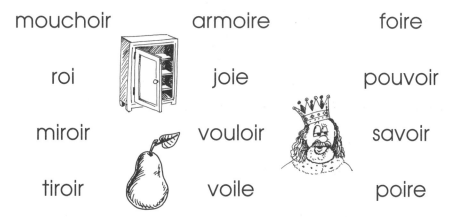

mouchoir	armoire	foire
roi	joie	pouvoir
miroir	vouloir	savoir
tiroir	voile	poire

Souligne tous les mots où tu entends le son **oi**
comme dans **fois**.

poule	poil	minois
roue	doigt	housse
poisson	soif	bois
jeton	toile	reine
soie	fou	camion
pou	loi	tousse

5. Dans l'exercice précédent, trouve 3 mots dont les lettres finales sont muettes.

_____ _____ _____
_____ _____ _____
_____ _____ _____

6. Entoure les lettres qui se prononcent **ou** comme dans **mou**.

Souligne les mots où tu entends le son **eu** comme dans **peu**.

Une poule sur un mur
Qui picore de l'azur.
Picoti picota.

Une poule au bec de flûte
Qui picore des minutes
Et les amours que vous eûtes.

Une poule au bec de feu
Qui picore gens et dieux
Cheveu, cheveu par cheveu.

7. Copie les mots suivants dans la colonne appropriée du tableau de la page suivante.

cheveu   sourdine   peureux
oie   deux   dégouline
partout   râpeux   proie
bouton   heureux   tambour
cantaloup   pois   trois
vénéneux   poireau   poivre

OI	OU	EU

8. Observe attentivement l'exemple et continue l'exercice.

Exemple : heureuse ⟶ heureux

peureuse ⟶ peur _____

dangereuse ⟶ danger _____

joyeuse ⟶ joy _____

grincheuse ⟶ grinch _____

valeureuse ⟶ valeur _____

paresseuse ⟶ paress _____

10. Utilise le mot approprié.

a) C'est Louis ___qui___ habite à la campagne.

voici

b) Chez grand-père, il y a un chien. J'en ai un

toujours

_____ chez moi.

aussi

c) Ma baignoire a débordé, j'avais mis ___aussi___ d'eau.

trop

jamais

d) Francis n'a _____ vu de châtaignes.

trop

FRANÇAIS

Notions révisées

- L'alphabet
- Les consonnes *z* et *j*
- Les voyelles nasales *an*, *en*, *in*, *on*, *un*
- Le nombre
- Les syllabes
- Les syllabes complexes

ATTENTES DE FIN DE CYCLE	STRATÉGIES
Connaître l'orthographe grammaticale des mots avec une syllabe nasale placée devant un *b* ou un *p*.	Identifier les mots avec les sons **an**, **en**, **in**, **on**, **un**.
Comprendre des phrases.	Compléter des phrases.
Connaître le code grammatical (le nombre).	Trouver le pluriel.
S'exercer à lire et à écrire.	Reconnaître des mots.

CONSEIL PRATIQUE

Si votre enfant semble manquer d'entrain, soyez patient tout en étant ferme, et exigez de lui uniquement ce qu'il est capable de donner. Plus tard, lorsqu'il aura retrouvé l'envie de travailler, les efforts fournis donneront de meilleurs résultats. S'il est en forme, n'hésitez pas à faire de la révision avec tout ce qui vous tombe sous la main, journaux à découper, petites notes à lire au réveil, etc.

1. Écris l'alphabet en entier.

Entoure les lettres **j** et **z**.

2. Complète les mots suivants en écrivant **j** ou **z**.

j ardin   bi z arre dé j à

z èbre   j ambon   j ulie

z igzag   j ambe   ga z

j ungle   z ibeline   j onquille

z éro   j aune   j uin

ga z elle   j udo   z oo

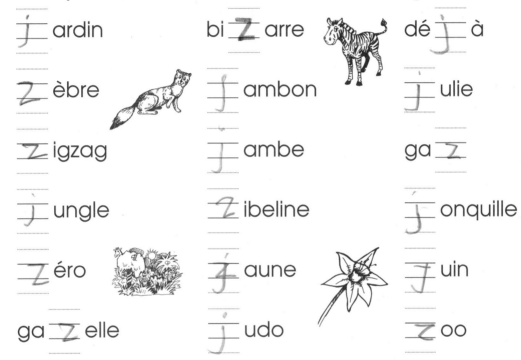

3. Voici le son **an** comme dans mam**an**. Il s'écrit de plusieurs façons : **an**, **am**, **en**, **em**. Lis les mots au son **an**. Utilise l'un de ces mots pour compléter les phrases de la page suivante.

maman   chenapan   septembre

mandarine   lampe   ruban

enfin   enveloppe   tempête

silence   fente   lente

a) C'est au mois de _____ que l'automne commence.

b) Le chenapan a volé la _____.

c) Marie a passé un _____ dans sa chevelure.

d) Allume la _____, s'il te plaît.

e) Il neige, on annonce une grosse _____.

4. Voici le son **in** comme dans mal**in**. Il s'écrit aussi de plusieurs autres façons : **in, ein, ain, im**. Lis attentivement les mots suivants.

impatience   jardin   copain

romarin   serein   plein

poussin   main   gingembre

grain   singe   dinde

demain   maintenant   mandarin

pain   pimpant   peintre

5. Voici le son **on** comme dans **bon**. Il s'écrit de deux façons : **on** et **om**. Lis attentivement les mots suivants.

savon   ronde   blonde   gronde

dragon   bâton   pantalon   bombe

faucon   saison   maison   pompe

balcon   jupon   sonder   rotonde

6. En t'aidant des mots de l'exercice précédent, écris au pluriel les mots qui commencent par les lettres suivantes.

bo _____   d _____

f _____   sav _____

j _____   po _____

7. Lis les mots suivants, puis sépare les syllabes.

pompier   comme   colonne

pompiste   conte   pomme

pompe   maison   homme   gallon

8. Dans le tableau de la page suivante, écris dans la colonne de gauche les mots où le son **on** se prononce comme dans **rond**. Dans la colonne de droite, écris les mots où le son est différent.

ON	SON DIFFÉRENT

9. Observe attentivement les mots suivants.

geant   ensemble   dans

Souligne le son **en** des mots de la phrase suivante.

Un éléphant blanc entre dans le manège en trottinant.

Combien en as-tu trouvé ? _____

10. Parmi les mots suivants, copie sur une feuille ceux qui contiennent le son **an**.

enfant   jaune   manger   ballon

danseur   chaude   marmite — maman

dent géant   friandise   framboise

pantalon   volant   blanc   rivage

lent   pomme   tempe   grande

11. Lis la phrase suivante. Souligne les mots qui ont le son un.

Lundi, j'ai pris du parfum dans le flacon brun.

12. Compose un mot avec les lettres de chaque case.

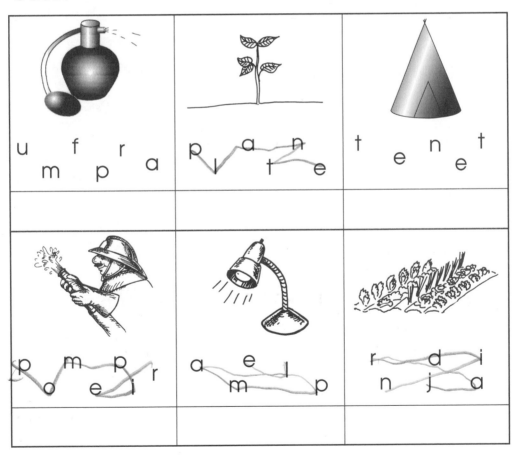

13. Complète les phrases suivantes à l'aide des mots que voici.

porte	mur	forte

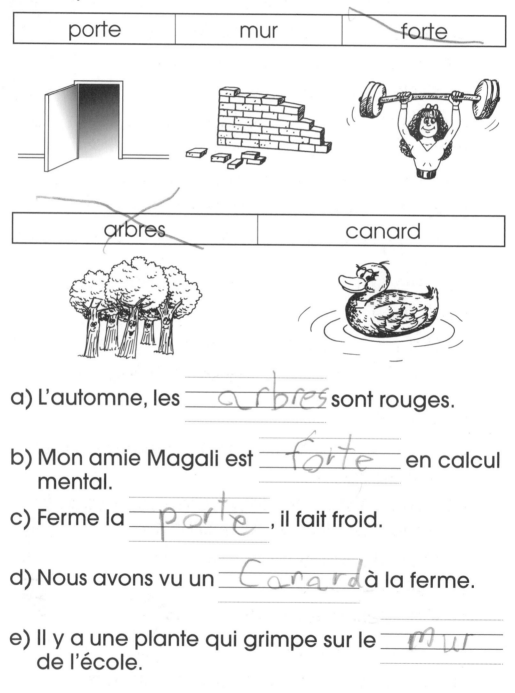

arbres	canard

a) L'automne, les _arbres_ sont rouges.

b) Mon amie Magali est _forte_ en calcul mental.

c) Ferme la _porte_, il fait froid.

d) Nous avons vu un _canard_ à la ferme.

e) Il y a une plante qui grimpe sur le _mur_ de l'école.

14. Lis le texte qui suit.

Ma bonne tante Francine voulait prendre le train pour Trois-Rivières. Elle a fait sa valise très tôt ce matin, puis elle a mangé des prunes et enfin elle est partie. Dehors, il y avait du givre et comme il faisait froid, elle a enfilé sa veste grise. À son arrivée à la gare, le train était déjà parti. Pauvre tante Francine ! Elle n'avait pas consulté la grille d'horaires des trains.

Repère dans le texte les mots ci-dessous et souligne-les.

train   prunes   pauvre   grille   givre
très   froid   grise   Francine   prendre

15. Devinettes :

a) Quel animal bizarre a des rayures noires et blanches ?

b) Quelle est la couleur obtenue lorsque tu mélanges le noir et le blanc ?

c) Quel est le nombre qui vient après deux ?

d) Qui n'est pas petit ?

e) Qui a toujours froid ?

f) Quelle personne répare les circuits électriques des bâtiments ?

ACTIVITÉ 9

Notions révisées

- Le classement par ordre alphabétique
- Les sons *euil, ouil, ail, ille*
- La construction de phrase
- Le genre

ATTENTES DE FIN DE CYCLE	STRATÉGIES
Connaître l'ordre alpha-bétique.	Trouver la lettre qui vient *avant, après* ou *entre*.
Connaître l'orthographe grammaticale des sons *euil, ouil, ail* qui dou-blent le *l* au féminin.	Faire une petite dictée de mots avec support d'images.
Connaître le genre (masculin ou féminin).	Écrire *le* ou *la* devant les mots.
S'exercer à lire et à écrire.	
Composer des phrases.	

CONSEIL PRATIQUE

Les enfants pour qui le français écrit ou lu est du *chinois* auraient avantage à écrire les mots qu'ils auront en dictée le lendemain. Si en plus d'épeler un mot, votre enfant le lit et l'écrit (le photographie), il accumule les chances de réussir la dictée du lendemain. S'il rechigne ou ne veut rien entendre, montrez un peu de fermeté, car c'est pour son bien.

1. Réponds aux questions sur l'alphabet.

Quelle lettre vient après ?	Quelle lettre vient avant ?	Quelle lettre se situe au milieu ?
b _c_	_c_ d	g _K_ i
f _g_	_a_ b	a ___ c
k _l_	_o_ m	t ___ v
m _n_	_p_ q	k _o_ m
g _h_	_r_ s	q _r_ s
u _v_	_x_ y	x _y_ z

2. Lis attentivement les mots suivants.

soleil	vitrail	chevreuil	orteil
bétail	cerfeuil	sommeil	fauteuil
réveil	ail	écureuil	fenouil
bouteille	écaille	feuille	fille
billet	barbouillé	chenille	nouille
fouille	corbeille	caille	feuillage
coquillage	gargouille	groseille	maillot

3. Complète les mots suivants en écrivant une lettre par trait.

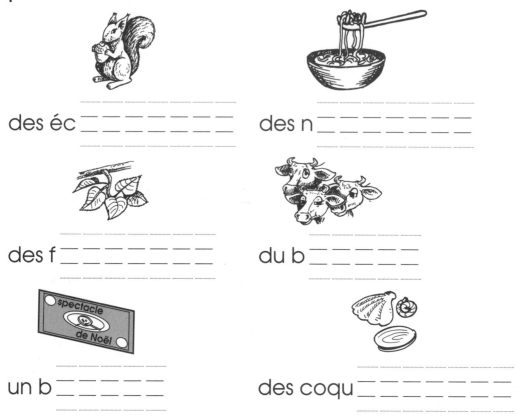

des éc _ _ _ _ _ _ _   des n _ _ _ _ _ _ _

des f _ _ _ _ _ _ _   du b _ _ _ _ _

un b _ _ _ _ _   des coqu _ _ _ _ _ _ _

4. Lis les sons suivants : ail, eil, ille, ouille, euil. Inscris dans la bulle celui qui est utilisé pour chaque mot.

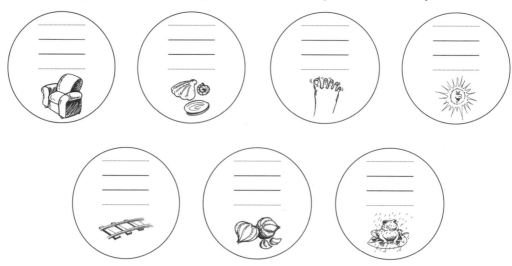

5. Complète les phrases avec les mots suivants.

quilles	groseilles	écailles	oreiller	éveille

a) Je raffole de la gelée de _____.

b) Le matin, je m'_____ à 7 heures.

c) L'_____ de mon lit est rectangu-

laire.

d) Marie joue aux _____ avec Rémi.

e) Les serpents sont couverts d'_____.

6. Écris **le** ou **la** devant chaque mot. Relie ce mot
au dessin correspondant.

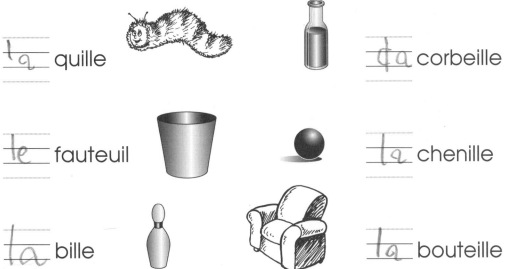

_la_ quille   _la_ corbeille

_le_ fauteuil   _la_ chenille

_la_ bille   _la_ bouteille

7. Dessine...

une bouteille	un papillon

de l'ail	le soleil

8. Lis l'histoire.

Le brouillard recouvre la ville
et lui donne un air mystérieux.
On dirait un immense nuage.
Mireille joue au détective
et ramasse des objets qu'elle
trouve pour faire une
enquête. Aujourd'hui, elle

a récolté une médaille, un billet
de loto et une grenouille miniature.
La médaille, elle le sait, est à son père
qui fait de la course. Le billet, elle
pense qu'il appartient au voisin d'en
face parce qu'il achète souvent des billets de
loto. Ce qui lui fait vraiment plaisir, c'est d'avoir
retrouvé la grenouille miniature qu'elle avait
perdue.

9. Réponds par **vrai** ou **faux**.

a) Le brouillard se lève. _____

b) Mireille joue au détective. _____

c) Elle trouve une médaille, un billet de loto et

une grenouille miniature. _____

d) Le billet appartient à son père. _____

e) Son voisin achète souvent des billets

de loto. _____

f) La grenouille est à Mireille. _____

10. Colorie en jaune l'encadré qui raconte l'histoire.

> La ville est sous un nuage de brouillard. Mireille joue à ramasser des objets. Elle a trouvé trois objets et elle devine à qui ils appartiennent.

> Le brouillard se lève. Murielle joue au détective. Elle trouve des objets : une médaille, un billet de 10 dollars et un coquillage. Elle devine à qui sont ces objets.

11. Relis l'histoire, puis barre les intrus dans le texte ci-dessous.

Le brouillard recouvre entièrement la ville et lui donne un petit air mystérieux. On dirait un beau nuage. Mireille joue au détective et ramasse tout ce qu'elle trouve pour faire une fête. Hier, elle a récolté une bouteille, une bille et une grenouille rouillée. La médaille, elle le sait, est à son cousin qui fait de la course. Le billet, elle pense bien qu'il appartient au voisin d'à côté parce qu'il achète souvent des billets de loto. Ce qui lui fait un peu plaisir, c'est d'avoir trouvé la grenouille miniature qu'elle avait donnée.

12. Compose deux phrases qui décrivent ton jouet favori.

FRANÇAIS

Notions révisées

- Les sons *gu* et *qu*
- Les différentes prononciations de la lettre *x*
- Les synonymes
- La phrase

CONSEIL PRATIQUE

L'année scolaire n'est pas encore terminée, et il se peut que la maisonnée soit un peu essoufflée par le rythme qu'impose la première année. Il faut tenir jusqu'à la fin et même persévérer au-delà si vous voulez préserver les acquis de votre enfant. Comme cela durera quelques années encore, il ne faut pas qu'un membre de l'équipe se décourage. La persévérance est la clé du succès. Vous méritez tout de même des vacances, mais il ne faut pas qu'elles soient trop longues afin que les connaissances nouvelles de votre enfant ne tombent pas dans l'oubli. Revenez à la charge à l'occasion, faites-le réfléchir, lire et écrire, discutez avec lui de la prochaine année et du plaisir que vous avez eu à travailler ensemble...

ATTENTES DE FIN DE CYCLE	STRATÉGIES
Connaître l'orthographe grammaticale des mots avec *x*.	
Discriminer des éléments sonores.	Reconnaître des sons.
Reconnaître des synonymes.	Trouver un mot de même signification qu'un autre.
S'exercer à lire et à écrire.	Rédiger une composition.

1. Entoure les mots où tu lis **c = k**. Souligne ceux où tu lis **qu = k**.

camion	guitare	taquine	figue
cirque	cerise	couteau	école
magique	queue	tigre	faucon
raquette	barque	confiture	biquette

Combien de mots te reste-t-il ? _____

2. Écris **gu** ou **qu** afin de compléter ces mots.

gu idon   ba gu ette

cas qu ette   dis qu e

gu itare   re qu in

3. Lis les phrases suivantes! Complète-les si tu le peux.

C'est la mère Michel _____

a perdu son _____.

_____ crie par la fenêtre

à _____ le lui rendra.

C'est le compère Lustucru

_____ lui a répondu :

« Allez ! la mère Michel,

votre _____ n'est pas _____. »

4. **X** est une lettre étrange. Elle change de son sans en avertir personne.

Observe attentivement les mots suivants.

xylophone   six   klaxon
x = gz   x = s   x = ks

dixième   peureux
x = z   x = ∅

Ensuite, lis ces mots en respectant le son indiqué.

x = s :   six - dix - soixante

x = z :   deuxième - sixième - dixième

x = gz :   examen - examiner - exemple - exode
            - oxygène

x = ks :   taxi - taxe - extraordinaire - flexible
            - extensible - vexé

x = ∅ :   peureux, heureux, valeureux.

5. Recopie les mots suivants dans la colonne
   appropriée.

boxe   joyeux   examiner   deux

index   dix   dixième   exploser

exercice   six   examen klaxon

frileux   exact   excuses   texte

x = s	x = z	x = gz	x = ks	x = ∅

6. Relie entre eux les mots identiques.

klaxon •   • **excuse**

heureux •   • *excellent*

excuse •   • textile

excellent •   • **klaxon**

textile •   • HEUREUX

7. Dans les phrases suivantes, remplace les mots en italique par les mots ci-dessous. Recopie ensuite la phrase entière.

| un taxi | excellent | vexé | heureux |

Charles est *content* d'avoir une nouvelle bicyclette.
_____
_____

Xavier a appelé *une voiture* pour aller au cinéma.
_____
_____
_____

Nous avons pris un *très bon* repas à la maison.
_____
_____

On a joué un bon tour à Guy et il s'est *fâché*.
_____
_____

8. Xavier voudrait six nouvelles voitures pour sa collection, mais il a fait des bêtises. Comme il ne s'est pas excusé, sa maman refuse d'acheter les voitures. Il réfléchit à ce qu'il pourrait faire pour réparer sa faute. Soudain, il trouve. Il va écrire un court texte pour s'excuser.

Chère maman,

Je m'excuse d'avoir cassé le xylophone de Félix. Je t'assure que je ne l'ai pas fait exprès. Je sais que mon frère est vexé parce qu'il espérait des excuses plus rapides. Voudrais-tu lui expliquer que c'est difficile de s'excuser ?

Xavier

9. Relie les mots entre eux en suivant l'ordre du texte.

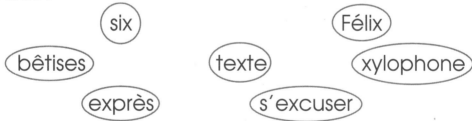

six   Félix

bêtises   texte   xylophone

exprès   s'excuser

10. Barre les mots qui n'appartiennent pas au texte.

dix	blague	texte	vexé
six	bêtises	excuses	klaxon
huit	sottise	Félix	taxi

11. Entoure la fleur qui est à côté du véritable texte de Xavier.

Je t'excuse d'avoir cassé le taxi de Félix. Je suis sûre que je l'ai fait exprès. Je sais que mon frère est fâché parce qu'il voulait des excuses rapides. Voudrais-tu lui expliquer que ce n'est pas facile ?

Xaviera

Je m'excuse d'avoir brisé le xylo-phone de Félix. Je t'assure que je ne l'ai pas fait exprès. Je sais que mon cousin est vexé parce qu'il voulait des excuses rapides. Pourrais-tu lui dire que c'est difficile ?

Xavier

Je m'excuse d'avoir cassé le xylo-phone de Félix. Je t'assure que je ne l'ai pas fait exprès. Je sais que mon frère est vexé parce qu'il espérait des excuses plus rapides. Voudrais-tu lui expliquer que c'est difficile de s'excuser ?

Xavier

MATHÉMATIQUE

LES ATTENTES GÉNÉRALES DU PROGRAMME DE MATHÉMATIQUE EN 1re ANNÉE

Les concepts unificateurs

Classer les éléments d'un ensemble.

Appliquer une règle sur les éléments d'un ensemble et énoncer cette règle.

Construire, interpréter et utiliser des diagrammes ou des graphiques.

Connaître et utiliser correctement les symboles ensemblistes.

Les objectifs mathématiques

1. *La numération*

    Reconnaître le nombre comme propriété de l'ensemble.

    Se familiariser avec la numération en base 10.

    Ordonner un ensemble de nombres inférieurs à 69.

    Se familiariser avec le sens des quatre opérations sur les nombres naturels.

    Effectuer mentalement ou par écrit des additions et des soustractions de nombres naturels inférieurs à 10.

2. *La géométrie*

    Explorer les notions d'intérieur, d'extérieur et de frontière.

    Dégager certaines caractéristiques des solides.

    Se familiariser avec les figures à deux dimensions à partir de l'observation des faces des solides.

3. *Les mesures*

    Estimer et mesurer des longueurs en mètres, en décimètres ou en centimètres.

ACTIVITÉ **1**

MATHÉMATIQUE

NUMÉRATION

Reconnaître le nombre comme
propriété d'un ensemble

*Il s'agit de faire comprendre à votre enfant qu'un
ensemble est constitué d'un nombre d'éléments,
et que ce nombre peut varier.*

Notions révisées

- Les nombres naturels de 0 à 10
- Les propriétés
- L'ensemble
- La suite

ATTENTES DE FIN DE CYCLE	STRATÉGIES
Classer des objets selon une propriété donnée. Exercices 1 et 6.	Lier des objets entre eux par une caractéristique commune.
Énumérer tous les éléments d'un ensemble. Exercice 2.	
Compléter une suite. Exercice 3.	Trouver un ordre dans une suite d'éléments.
Comparer par correspondance biunivoque. Exercices 5, 6, 7 et 9.	Faire correspondre un seul élément d'un ensemble à celui d'un autre ensemble.
Ordonner des éléments selon une ou plusieurs propriétés. Exercice 4.	Introduire les notions d'ordre croissant et décroissant.
Lire et écrire les nombres de 0 à 10. Exercices 8, 9, 10, 11, 12 et 13.	

CONSEIL PRATIQUE

Plusieurs des exercices suivants auraient avantage à
se faire à haute voix. Cela
incitera votre enfant à faire
une vérification immédiate
et lui fera saisir plus clairement la logique de l'exercice.

1. Colorie en rouge les enfants qui ont une sucette et en bleu, ceux qui ont une pomme.

Marie

Marco

Colin

Lucas

Sonia

Alou

Mentionne les enfants qui appartiennent à chacun des ensembles en complétant les phrases suivantes.

L'ensemble des enfants qui ont une sucette regroupe :

_____ _____ _____
_____ _____ _____

L'ensemble des enfants qui ont une pomme regroupe :

_____ _____ _____
_____ _____ _____

2. Énumère tous les objets que tu vois sur cette image.

   Entoure l'ensemble des fruits destinés au pique-nique.

   Énumère les fruits qui composent cet ensemble.

3. Dessine l'objet qui manque pour compléter la suite.

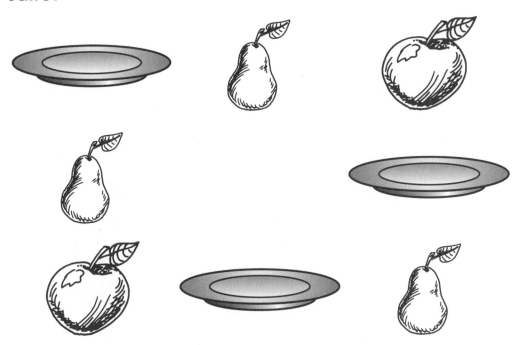

4. Place les cheminées en ordre croissant, en allant de la plus basse à la plus haute.

a) 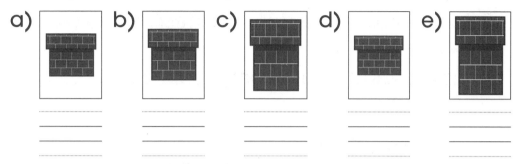 b) c) d) e)

_____ _____ _____ _____ _____

5. Relie le nombre d'étoiles que tu comptes sur les ballons au chiffre correspondant.

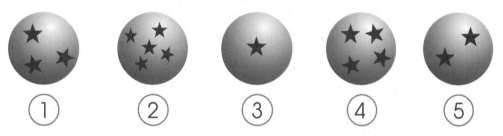

①   ②   ③   ④   ⑤

6. Regarde bien l'illustration et réponds aux questions de la page suivante.

a) Où se trouve le chat ? _____

b) Combien d'enfants participent au pique-

nique ? _____

c) Combien d'enfants debout y a-t-il à droite de

la table ? _____   Et à gauche ? _____

d) Qu'y a-t-il sur la table ? _____

_____

_____

e) Entoure l'enfant le plus éloigné de la table.

f) Colorie en rouge les vêtements qui ont les
    mêmes motifs.

g) Trois enfants sont assis. Est-ce que tous les
   enfants sont assis ? Trace un X dans la case
   appropriée.

   oui ☐   non ☐

h) Dessine autant de bonbons qu'il y a d'enfants.

7. Relie par une flèche la tasse et la soucoupe assorties.

8. Lis et copie le chiffre que tu vois au début de chaque rangée.

0 _____	1 _____
1 _____	7 _____
2 _____	8 _____
3 _____	9 _____
4 _____	10 _____
5 _____	

9. Relie chaque ensemble de ballons au nombre correspondant.

① ② ③ ④ ⑤ ⑥ ⑦ ⑧ ⑨

Complète les ensembles et ajoute les nombres manquants. Relie les ensembles au nombre correspondant.

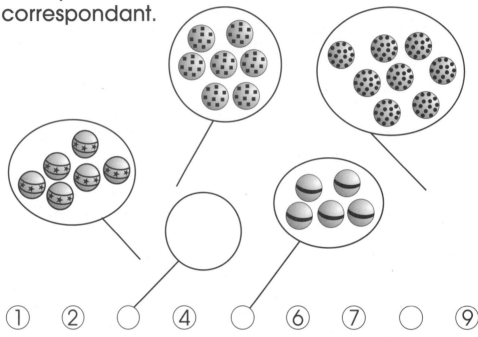

① ② ○ ④ ○ ⑥ ⑦ ○ ⑨

10. Écris le nombre de fleurs contenues dans ces ensembles.

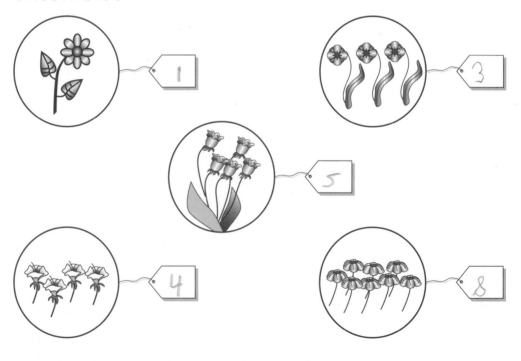

11. Fais correspondre par une flèche les chiffres et leur nom en lettres.

cinq	deux	quatre	zéro	trois	un

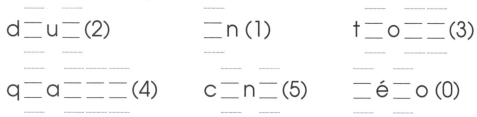

④   ⓪   ⑤   ①   ②   ③

12. Il manque quelques lettres aux noms de chiffres suivants. Complète-les.

d ⎯ u ⎯ (2)   ⎯ n (1)   t ⎯ o ⎯ ⎯ (3)

q ⎯ a ⎯ ⎯ ⎯ (4)   c ⎯ n ⎯ (5)   ⎯ é ⎯ o (0)

13. Dans chaque ensemble, dessine autant de carrés que le nombre inscrit sur l'étiquette.

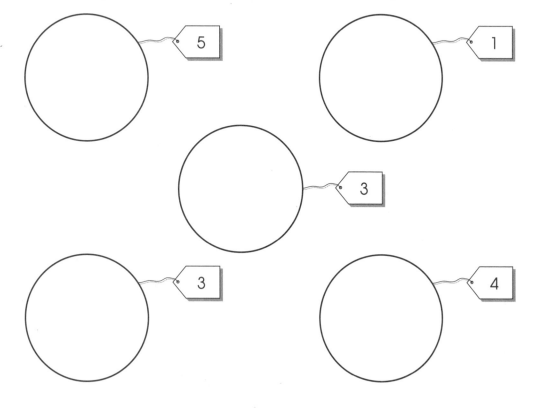

MATHÉMATIQUE

NUMÉRATION

Se familiariser avec les caractéristiques de la numératon en base 10

Votre enfant devra apprendre à grouper les éléments d'un ensemble selon différentes bases. Par exemple, la base 3 signifie que l'ensemble demandé doit comprendre 3 éléments encerclés.

Notions révisées

- Les nombres naturels de 0 à 20
- L'ensemble
- La numération
- La dizaine

CONSEIL PRATIQUE

Il faut insister ici sur le nombre de regroupements à faire et à compter. Ce préliminaire est essentiel à la compréhension de la multiplication que votre enfant verra plus tard.

ATTENTES DE FIN DE CYCLE	STRATÉGIES
Grouper et regrouper des objets selon différentes bases. Exercices 1 et 2.	
Grouper et regrouper des objets en base 10. Exercices 3 et 7.	Introduire la notion de dizaine et faire comprendre à l'enfant que le premier chiffre d'un nombre plus grand que 9 a une valeur de 10 (ex. : 14).
Décrire oralement un regroupement d'objets. Exercices 1 et 3.	Distinguer les groupements d'éléments par rapport aux éléments d'un même ensemble.
Associer un nombre à un ensemble d'éléments regroupés selon une base donnée. Exercices 5, 6 et 7.	Faire des regroupements et les compter.
Déterminer d'après sa position la valeur d'un chiffre dans un nombre. Exercices 9 et 10.	Comprendre la valeur de la dizaine.
Lire et écrire les nombres de 0 à 20. Exercices 4, 8 et 11.	

1. Énumère tout ce que tu vois.

a) Décris le coin de jeu de Maria.

b) Lis les chiffres inscrits sur le tableau.

c) Il manque deux cubes. Quels seraient les

numéros de ces cubes ? ⎯ ⎯

d) Groupe les poupées par 3, les livres par 5, les animaux par 2.

e) À ton avis, quel numéro porte le livre ouvert

par terre ? ⎯

2. Groupe les objets suivant le nombre demandé.

groupes	unités
1	4
1	7
5	2

a) les boutons par 4

b) les balles par 6

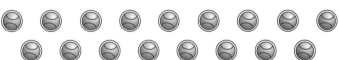

c) les chocolats par 10

3. Décris la collection de vignettes autocollantes ci-dessous.

Inscris dans le tableau le nombre de vignettes de chaque catégorie.

vignettes	dizaines	unités
oursons	1	1
bateaux	1	5
chats	1	4
fusées	1	6

Entoure la collection la plus nombreuse.

4. Copie le chiffre qui se trouve au début de chaque rangée.

0 _____   9 _____

1 _____   10 _____

2 _____   11 _____

4 _____   12 _____

5 _____   13 _____

6 _____   14 _____

7 _____   15 _____

8 _____

Quel est le chiffre manquant ? _____

5. Relie chaque ensemble d'objets au nombre correspondant.

⑥   ⑦   ⑧   ⑨   ⑩

6. Voici l'étagère d'une animalerie. Sous chaque image, inscris le nombre d'animaux.

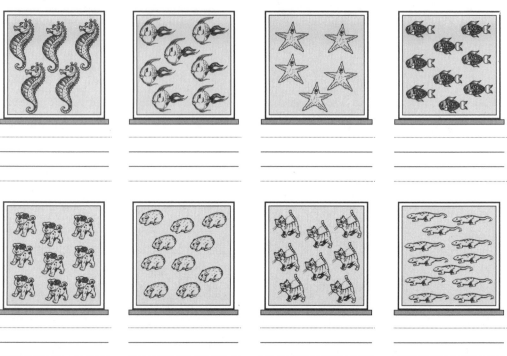

7. Forme des groupements de dix objets. Écris le nombre d'objets dans chaque case.

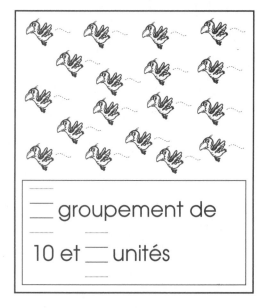

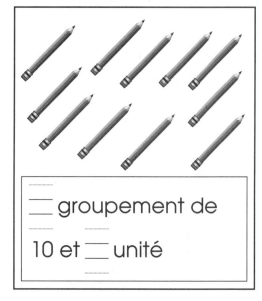

___ groupement de 10 et ___ unités

___ groupement de 10 et ___ unité

8. Complète les mots croisés.

1. •••
   •••
   •••
2. •••••
   ••••
3. ••••
   •••
4. •
   •
5. ••
   •
   ••

6.   7.
1. □
   □ n □ u □ □
2. □ □ □ t
8.   9.
3. □ e □ t
10.
4. d □ □ x
   □
5. □ i □

6. •
7. •••
   •••
8. •••••
   ••••
9. •
   •
   •
10. ••••
   •••
   ••••

9. Le facteur distribue des lettres chaque jour.

lundi	15
mardi	19
mercredi	17
jeudi	12
vendredi	18

a) Quel jour en a-t-il distribué le plus ? _____

b) Quel jour en a-t-il distribué le moins ? _____

c) Écris ces nombres par ordre croissant.

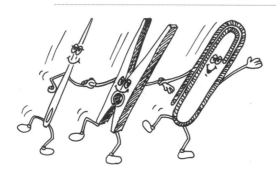

10. La course à bicyclette
Voici le temps qu'a pris chacun pour terminer la course.

Léa	Marc	Fatma	Suzanne	Vassili	Kim	Lison
18 min	22 min	14 min	16 min	19 min	24 min	20 min

a) Quel cycliste est arrivé le premier ? _____

b) Quel cycliste est arrivé le dernier ? _____

c) Lequel est arrivé

le 2ᵉ _____   le 3ᵉ _____   le 6ᵉ _____

d) Écris le nombre de minutes par ordre décroissant.

e) Écris le nom des cyclistes selon l'ordre de leur arrivée.

11. Écris de ta plus belle écriture les chiffres suivants et compte à voix haute.

10 ———————

11 ———————

12 ———————

13 ———————

14 ———————

15 ———————

16 ———————

17 ———————

18 ———————

19 ———————

20 ———————

ACTIVITÉ 3

MATHÉMATIQUE

NUMÉRATION

Ordonner un ensemble de nombres inférieurs à 69

Notions révisées

- Les nombres naturels de 0 à 30
- La numération
- L'ordre des chiffres (les notions « avant », « entre » et « après »)
- Les symboles *plus petit que* (<) et *plus grand que* (>)
- L'ordre croissant
- Les chiffres ordinaux

ATTENTES DE FIN DE CYCLE	STRATÉGIES
Comparer deux nombres en se servant d'illustrations. Exercices 1 et 2.	Faire des exercices pour maîtriser la numération.
Comparer deux nombres et exprimer cette relation à l'aide des symboles : = (égal), < (plus petit que) et > (plus grand que). Exercices 5 et 6.	
Écrire un ensemble de nombres par ordre croissant. Exercices 5 et 6.	
Trouver un nombre qui vient immédiatement avant ou immédiatement après un autre nombre ou qui se situe entre deux nombres. Exercices 3, 4 et 9.	Manipuler souvent les nombres.
Trouver le rang d'un élément dans un ensemble de nombres où les éléments sont placés dans un ordre donné. Exercice 7.	Identifier le début de la numération.
Lire et écrire les nombres de 0 à 30. Exercices 6 et 8.	

CONSEIL PRATIQUE

À tout moment, posez des questions à votre enfant afin qu'il s'exerce à la numération et à l'addition. Ex. : Combien de billes as-tu encore ? Combien de jours reste-t-il avant la fin du mois ?

1. Dessine la carte manquante.

 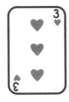 

2. Il manque des boutons dans ces boîtes. Complète les illustrations.

 12 boutons 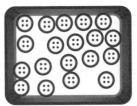 26 boutons

Quel est le plus petit de ces deux nombres ? _____

3. Complète la suite de nombres.

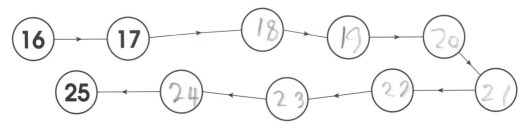

4. Trouve de quel nombre il est question.

___ 6	12 ___ 14	28 ___
___ 14	15 ___ 17	15 ___
___ 20	23 ___ 25	0 ___

5. a) Écris la liste des membres de cette famille par ordre croissant (du plus petit au plus grand).

Maman Papa Jean-François

Paule

Mario

_____ _____
_____ _____
....
          _____
          _____
....
_____ _____
....

b) Compare les deux nombres et écris le symbole approprié : <   >   ou   = .

14 ⎯⎯ 4   5 ⎯⎯ 25   10 ⎯⎯ 7   9 ⎯⎯ 2

12 ⎯⎯ 17   18 ⎯⎯ 2   14 ⎯⎯ 14   28 ⎯⎯ 30

6. Complète ces séries avec des nombres appropriés.

10 <⎯⎯<⎯⎯<⎯⎯< 20

25 >⎯⎯>⎯⎯>⎯⎯>⎯⎯> 10 >⎯⎯>⎯⎯>⎯⎯> 5

7. Relie les nombres à leur nom en lettres.

(16)   (4)   (25)   (20)

(5)   (12)   (11)

| vingt-cinq | vingt | seize | onze | douze | quatre | cinq |

8. Regarde attentivement l'illustration ci-dessous.

a) Trace un X sur le 2e enfant.

b) Entoure le 7e enfant.

c) Dessine un chapeau sur la tête du 5e enfant.

d) Colorie le 1er enfant en rouge, le 2e en vert, le 3e en violet, le 4e en rose.

9. Complète les additions.

1 + 4
2 + 3
3 + 2
0 + 5
5
4 + 1
5 + 0

ACTIVITÉ **4**

MATHÉMATIQUE

NUMÉRATION

Se familiariser avec les quatre opérations sur les nombres naturels

En 1re année, l'enfant sera sensibilisé à la notion de la multiplication, mais n'aura pas à faire l'opération. En revanche, l'addition et la soustraction devront être maîtrisées avant la fin de l'année scolaire.

Notions révisées

* Les nombres naturels de 0 à 40
* Initiation à la multiplication
* L'addition
* La soustraction
* La résolution de problèmes

CONSEIL PRATIQUE

Toutes les occasions sont bonnes pour entraîner votre enfant à assimiler les mécanismes qui régissent l'addition et la soustraction. Ce doit devenir un réflexe intellectuel.

ATTENTES DE FIN DE CYCLE	STRATÉGIES
Représenter concrètement l'addition. Exercices 3 et 4.	Additionner en se servant d'éléments qui ne sont pas pareils.
Comparer deux ensembles disjoints afin de déterminer la différence de leurs cardinaux. Exercices 1 et 5.	Comparer le nombre d'éléments de deux ensembles.
Ajouter ou retrancher des éléments à un ensemble. Exercices 2, 4 et 7.	Familiariser l'enfant avec la logique de problèmes et avec la pratique soutenue de l'addition et de la soustraction.
Trouver le nombre d'éléments qui manquent pour compléter un ensemble. Exercices 5 et 6.	Familiariser l'enfant avec les expressions : *autant que*, *moins que* et *plus que*.
Lire et écrire les nombres de 0 à 40. Exercices 8 et 9.	

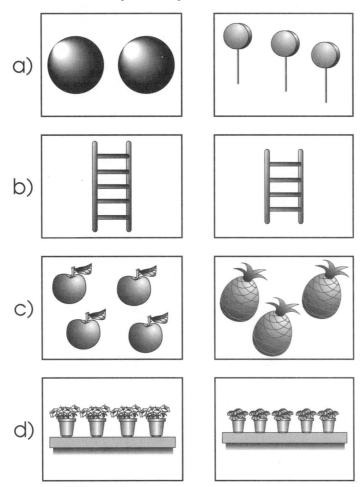

A C T I V I T É 4

1. Dans chaque case, trace un X sur l'ensemble qui a un élément de plus que l'autre.

a)

b)

c)

d)

2. Dans la case de droite, dessine un point de moins que le nombre de points de la case de gauche.

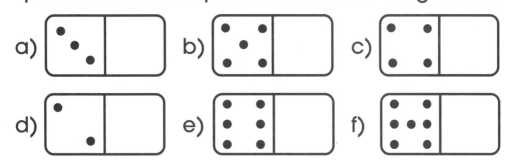

a)   b)   c)

d)   e)   f)

3. Observe l'illustration et complète le tableau ci-dessous.

a)	cerf-volant	+	ballons	=	jouets
		+		=	
b)	enfants	+	adulte	=	personnes
		+		=	
c)	érables	+	sapins	=	arbres
		+		=	
d)	pommes	+	bananes	=	fruits
		+		=	
e)	filles	+	garçons	=	personnes
		+		=	
f)	ananas	+	poires	=	fruits
		+		=	

4. Écoute attentivement ce qu'on te lit. Dessine ce que ces histoires te suggèrent.

a) Un marchand place dans le même aquarium 3 poissons et 3 escargots. Combien d'animaux y a-t-il dans cet aquarium ?

b) Le même marchand vient d'acheter 5 poissons-clowns et 3 poissons arc-en-ciel. Combien de poissons a-t-il acheté en tout ?

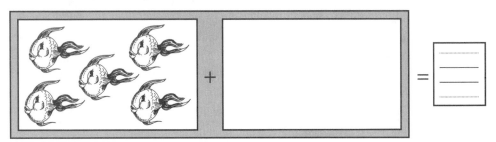

c) Le marchand d'animaux a 3 chatons à vendre et autant de chiots. Combien d'animaux doit-il vendre en tout ?

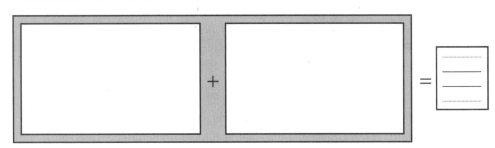

5. Leila prépare 12 petits gâteaux. Pour l'aider, continue à remplir les moules à gâteau.

Combien en as-tu remplis ? _____

6. Observe l'illustration.

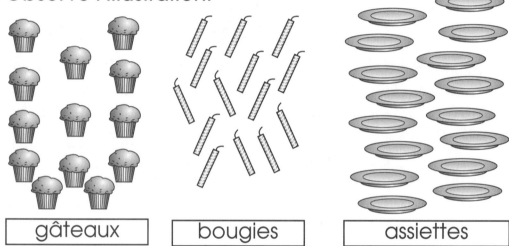

| gâteaux | bougies | assiettes |

a) Il y a plus

d' _____ que de _____ et que de _____ .

_____ > _____ > _____

b) Frank décore 13 petits gâteaux. Odélie en décore 15. Flavie ne dit pas le nombre de gâteaux qu'elle décore, mais elle déclare : « J'en décore plus que Frank et moins que Odélie. »

Quel est ce nombre ? _____

7. Exerce-toi. Relie chaque équation à sa solution.

| 1 + 1 |
| 1 + 3 |
| 2 + 1 |
| 2 + 2 |
| 1 + 2 |
| 3 + 1 |

1
2
3
4

| 2 – 1 |
| 3 – 2 |
| 4 – 1 |
| 3 – 1 |
| 4 – 3 |
| 4 – 2 |

8. Écris les nombres suivants par ordre croissant et en chiffres.

dix-huit	neuf	vingt-cinq	trente-huit	deux	douze
quinze	sept	trente-sept	zéro	vingt-neuf	huit

9. Écris les nombres de 1 à 40 sur les perles du collier.

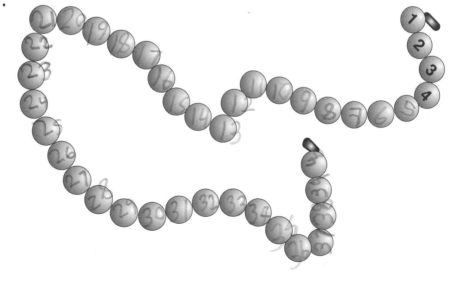

ACTIVITÉ 5

MATHÉMATIQUE

NUMÉRATION

Effectuer mentalement ou par écrit des additions et des soustractions de nombres naturels inférieurs à 10

Notions révisées

- Les nombres naturels de 0 à 40
- Le calcul mental
- L'addition
- La soustraction
- La suite

CONSEIL PRATIQUE

Une révision serait souhaitable. Votre enfant a-t-il bien compris et appris les tables d'addition ? Maîtrise-t-il les tables de soustraction ? Distingue-t-il les éléments d'un problème qui lui permettent d'en appliquer la logique et d'effectuer l'opération demandée ? Comprendre cette logique est primordial. Plus tôt il l'aura assimilée, mieux cela vaudra.

ATTENTES DE FIN DE CYCLE	STRATÉGIES
Additionner mentalement des nombres dont la somme est inférieure ou égale à 10. Exercices 1,2, 3, 4, 6, 7, 11 et 16.	Réviser les tables d'addition.
Trouver le terme manquant dans une opération d'addition ou de soustraction. Exercices 8, 9, 10 et 15.	
Construire une suite ou la compléter et énoncer la règle qui a permis de la construire. Exercices 8, 11, 12, 13, 14 et 17.	Comprendre la logique d'une suite et celle d'une table d'addition.
Effectuer mentalement des soustractions dont le premier terme est inférieur ou égal à 10. Exercices 2, 3, 5 et 8.	Réviser les tables de soustraction.
Lire et écrire les nombres de 0 à 40. Exercices 16, 17, 18, 19 et 20.	

1. Un écureuil fait sa provision de noisettes pour l'hiver.

Observe sa provision.
Complète les additions
avec des chiffres.

Lundi matin, l'écureuil apporte

  , puis l'après-midi,

ce qui fait  .   + =

Regarde ce qui suit.   2   +   1   =   3

a) Mardi   + =

b) Mercredi   + =

c) Jeudi   + =

2. Saurais-tu trouver toutes les solutions?

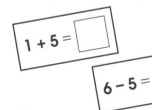

3. Est-ce égal ou différent?

est égal s'écrit =	est différent s'écrit ≠
1 + 5 ⎯⎯ 4 + 2	3 + 3 ⎯⎯ 5 + 1
2 + 3 ⎯⎯ 5 + 1	6 – 3 ⎯⎯ 1 + 2
3 + 3 ⎯⎯ 2 + 2	3 – 2 ⎯⎯ 6 – 4
5 + 1 ⎯⎯ 4 – 2	2 + 4 ⎯⎯ 3 + 3
5 – 2 ⎯⎯ 1 + 2	4 – 3 ⎯⎯ 3 – 2

4. a) Relie au nombre 5 les étiquettes qui représentent la somme 5.

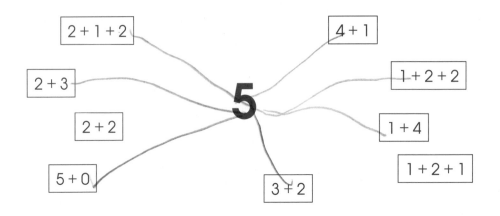

b) Écris deux mots de 5 lettres.

5. Pour se nourrir, une chenille mange 6 feuilles par jour. Combien de feuilles ces chenilles ont-elles déjà avalées?

a)  🍃🍃🍃🍃 _____

b) 🍃🍃 _____

c) 🍃🍃🍃 _____

6. Remplis correctement toutes les cases vides.

+	5	4	3	2
3				
4				

7. Écris dans la case le terme qui manque.

☐ + 3 = 8

8. Trouve le terme de chaque case vide.

5 − 1 = ☐   4 = 5 − ☐   5 − (1 + 1) = ☐

5 − [7] = 2   5 − 0 = [5]   5 − (2 + 3) = ☐

3 = [5] − 2   1 = [5] − 4   5 = (☐ + 1) = 5

9. Trouve le terme manquant.

$3 + \underline{} = 6$ $\qquad$ $\underline{} + 3 = 7$

$\underline{} + 1 = 4$ $\qquad$ $1 + 2 = \underline{}$

$1 + \underline{} = 8$ $\qquad$ $5 + 5 = \underline{}$

$\underline{} + 2 = 9$ $\qquad$ $7 + \underline{} = 7$

10. Fais des bonds de 3.

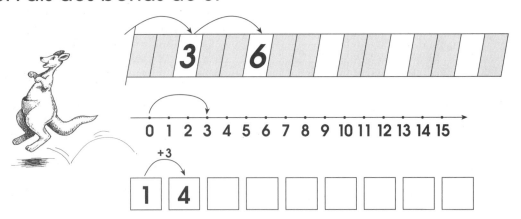

11. Relie les additions qui donnent le même résultat.

5 + 4		7 + 1

1 + 8		3 + 6

2 + 6	9 − 1

12. Termine la suite.

A C T **5** V I T É

13. Termine la suite.

+2

| 1 | 3 | 5 | 7 | 9 | 11 | 13 | 15 | 17 | 19 |

14. Dessine des bonds de 2.

0 1 2 3 4 5 6 7 8 9 10 11 12 13 14 15 16 17

15. Calcule le temps que tu prendras pour terminer cet exercice.

Calcul rapide				
1 + 1 = 2	6 + 0 = 6	1 + 3 = 4	1 + 0 = 1	1 + 5 = 6
0 + 1 = 1	2 + 2 = 4	2 + 1 = 3	3 + 1 = 4	0 + 4 = 4
2 + 4 = 6	1 + 2 = 3	2 + 0 = 2	3 + 3 = 6	2 + 1 = 3
1 + 4 = 5	0 + 2 = 2	3 + 0 = 3	0 + 5 = 5	0 + 3 = 3
2 + 3 = 7	4 + 0 = 4	3 + 2 = 5	4 + 1 = 5	2 + 3 = 5
5 + 0 = 5	4 + 1 = 5	2 + 1 = 3	4 + 2 = 6	5 + 1 = 6

Combien de temps t'a-t-il fallu ? _____

16. Termine la suite de nombres.

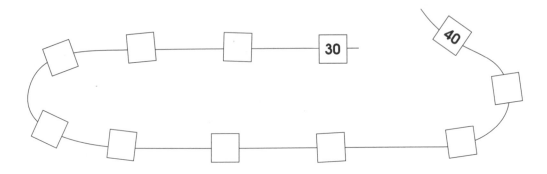

17. Entoure le plus grand nombre de chaque rangée.

35	29	36	38	27	32
20	40	37	32	25	33

18. Que préfères-tu...

34 ou 39 bonbons ?   20 ou 10 bonnes notes ?

38 ou 28 billes ?   27 ou 37 jujubes ?

19. Quel collier réaliseras-tu le plus vite : celui de 40 perles ou celui de 25 perles ?

20. Écris sur le collier le nombre de perles qu'il contient.

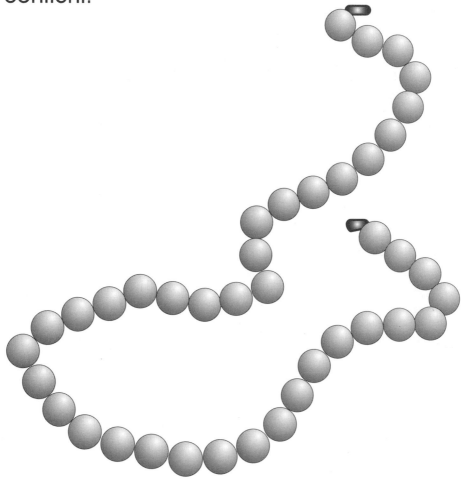

MATHÉMATIQUE

GÉOMÉTRIE

Explorer les notions d'intérieur,
d'extérieur et de frontière

Notions révisées

- L'intérieur
- L'extérieur
- La frontière

ATTENTES DE FIN DE CYCLE	STRATÉGIES
Identifier et construire des frontières et des régions dans un plan ou dans l'espace. Exercices 1, 2 et 3.	Suivre les couloirs d'un labyrinthe pour faire comprendre à l'enfant la notion de frontière.
Distinguer l'intérieur et l'extérieur d'un objet. Exercice 4.	

CONSEIL PRATIQUE

Les enfants connaissent bien les labyrinthes, en général depuis la maternelle. Ici, il faut cependant insister sur la notion de frontière représentée par une ligne droite et continue.

1. Aide le chien à retrouver son biscuit.

2. Voici le plan d'un parc.

a) Examine ce plan et nomme les jeux que tu connais.

- Amy est sur le tourniquet. Marque d'un ❏ l'endroit où se trouve Amy.

- Élise est dans le carré de sable. Marque cet endroit d'un △.

- Isabelle est près des balançoires. Marque d'un ○ l'endroit où se trouve Isabelle.

b) Trace en rouge le chemin que parcourt Isabelle. Elle va sur une balançoire, puis au carré de sable sans passer par l'allée.

3. Dans les images de la page suivante, relie les lettres par une ligne ouverte pour former les mots **école** et **pupitre**.

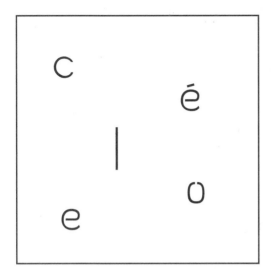

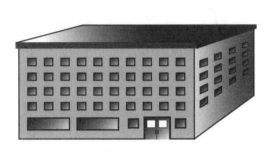

4. Colorie l'intérieur des lettres. Ensuite, colorie l'extérieur des lettres.

MATHÉMATIQUE

GÉOMÉTRIE

Dégager certaines caractéristiques des solides

Notions révisées

- Les solides (cube, sphère, prisme, cylindre et cône)
- Les formes (carré, rectangle, triangle et cercle)

ATTENTES DE FIN DE CYCLE	STRATÉGIES
Classer des objets selon des critères choisis. Exercice 1.	Distinguer les caractéristiques des solides (ex. : ce qui roule, ce qui glisse).
Décrire la forme d'un objet. Exercices 2 et 3.	
Associer des solides à des objets. Exercice 2.	Démontrer à l'enfant des notions théoriques dans son environnement familier.

CONSEIL PRATIQUE

La géométrie a son propre vocabulaire ; il est nouveau pour votre enfant. En utilisant vous-même ces nouveaux termes, vous l'aiderez à les assimiler.

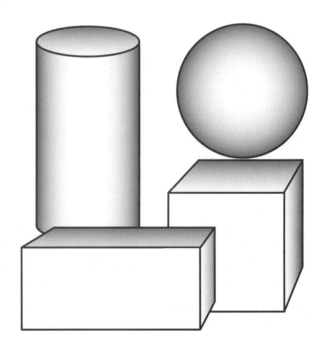

1. Dessine les solides dans la région qui convient.

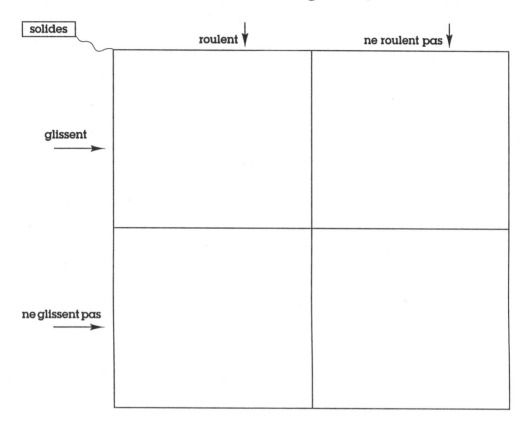

solides

roulent ↓   ne roulent pas ↓

glissent →

ne glissent pas →

 sphère

 cube

 cylindre

 pyramide à base carrée

 pyramide à base rectangulaire

 cylindre

 prisme à base carrée

 cône

2. Associe chaque meuble à un solide.

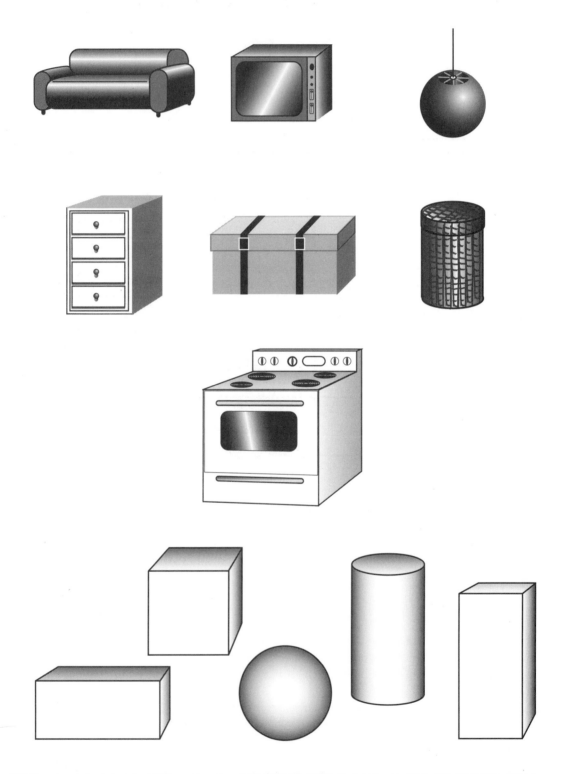

3. Colorie les triangles en bleu, les carrés en jaune, les rectangles en vert et les cercles en rouge.

Ce dessin comprend :

_____ carrés

_____ triangles

_____ cercles

_____ rectangles

MATHÉMATIQUE

GÉOMÉTRIE

Se familiariser avec les figures à deux dimensions à partir de l'observation des faces d'un solide

Notions révisées

• Les formes (carré, rectangle, triangle, losange, cercle)

ATTENTES DE FIN DE CYCLE	STRATÉGIES
Reconnaître les faces d'un solide. Exercices 1, 2 et 3.	Rechercher des objets dont les formes ressemblent au cercle, au carré, au rectangle et au triangle.
Dessiner les figures suivantes : le cercle, le carré, le rectangle et le triangle.	

CONSEIL PRATIQUE

En géométrie, la propreté, la précision, la patience sont les trois mots clefs d'un travail bien fait. Il faut les remettre à l'esprit de l'enfant pressé qui, suivant son humeur, bâcle son travail ou tourne les coins un peu trop ronds...

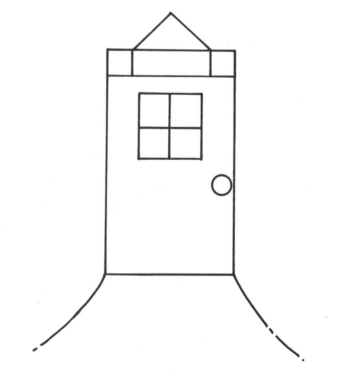

1. Associe chaque dessin à l'une des formes suivantes.

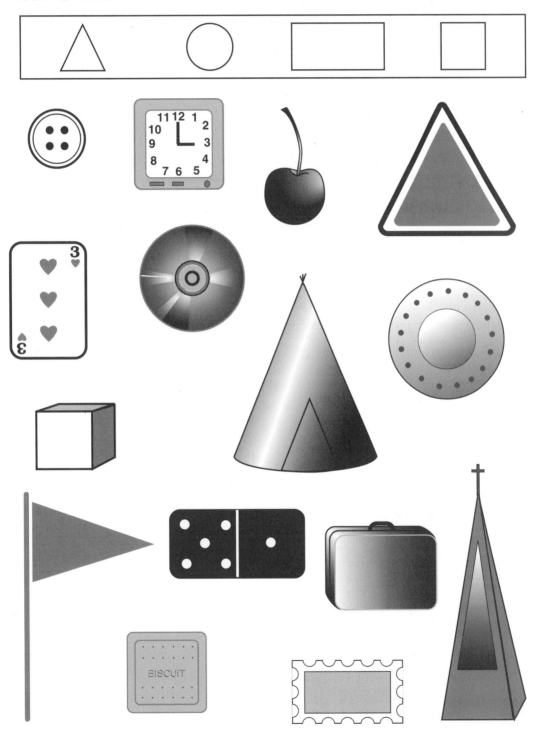

2. a) Ajoute trois figures pour compléter la suite.

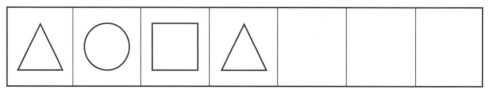

b) Dessine une suite de figures à 4 côtés seule-
ment.

c) Dessine une suite de figures à 3 côtés en par-
tant d'une petite figure à une plus grande.

3. a) Dessine une fleur à l'intérieur d'un carré.

b) Dessine une clôture à l'intérieur d'un rectangle.

c) Dessine un canot à l'intérieur d'un rectangle.

ACTIVITÉ 9

MATHÉMATIQUE

MESURES

Estimer et mesurer des longueurs en mètres, en décimètres ou en centimètres

Votre enfant devra apprendre à mesurer en unités de mesures métriques et à faire des estimations.

Notions révisées

- La mesure
- L'estimation
- La comparaison

ATTENTES DE FIN DE CYCLE	STRATÉGIES
Comparer les longueurs de deux objets. Exercices 1, 2, 3, 5 et 6.	Utiliser avec précision des instruments de mesure (la règle, le mètre).
Estimer et mesurer la longueur d'un objet en unités non conventionnelles. Exercice 4.	Développer le sens de la débrouillardise chez votre enfant.
Comparer les longueurs de différents objets à la mesure de un mètre. Exercice 5.	Visualiser la longueur de un mètre.

CONSEIL PRATIQUE

Ici, la précision des gestes et du regard s'acquiert par une pratique fréquente qui fera de votre enfant un as du mesurage.

1. Relie par un trait les bâtons de même longueur. N'oublie pas de les mesurer !

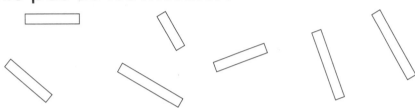

2. La ligne droite est-elle **plus longue**, **plus courte** ou **égale** à la ligne en zigzag ? Souligne la réponse.

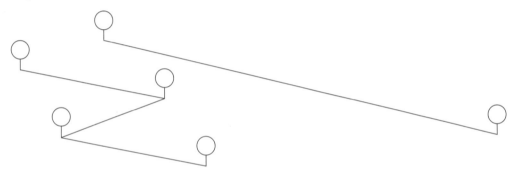

3. Écris le numéro 1 sur le livre le plus petit. Écris le numéro 2 sur le livre le plus grand.

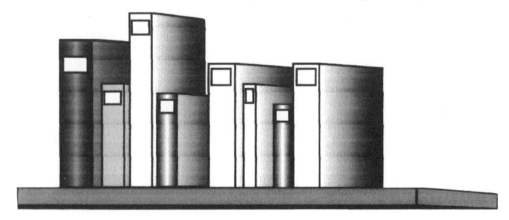

4. Prends un bout de ficelle dont la longueur est égale à la largeur de tes bras ouverts, et vérifie si :

   a) tu pourrais faire passer ton lit par l'ouverture

   de la porte de ta chambre ____.

   b) le réfrigérateur est plus haut que la longueur

   de ton lit ____.

   c) la porte d'entrée principale de la maison est

   moins large que celle de la cuisine ____.

   d) ton livre de mathématiques est plus épais que

   celui de français ____.

5. Estime les mesures par rapport à 1 mètre et trace des X aux endroits appropriés.

	PLUS GRAND QUE 1 MÈTRE	ENVIRON 1 MÈTRE	PLUS PETIT QUE 1 MÈTRE
la largeur du comptoir de la cuisine			
la largeur du réfrigérateur			
la hauteur de ta bicyclette			

6. Reproduis sur une feuille ce ruban à mesurer et mesure les objets illustrés.

1	2	3	4	5	6	7	8	9	10

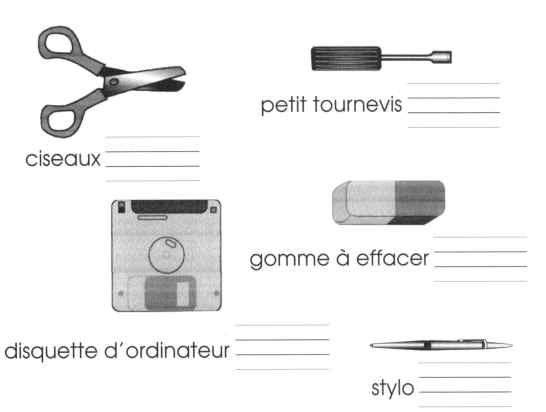

petit tournevis _____

ciseaux _____

gomme à effacer _____

disquette d'ordinateur _____

stylo _____

trombone _____

Jos Lafeuille
libraire

tél: (514) 123-4567

carte professionnelle _____

SCIENCE ET TECHNOLOGIE

COMPOSANTES DE LA COMPÉTENCE
1re CYCLE DU PRIMAIRE

La science et la technologie… une fenêtre sur le monde… voilà comment le ministère de l'Éducation présente l'étude de cette discipline. Tout au long des activités de cette section, votre enfant développera une façon de penser propre à la science et à la technologie. Ainsi, après lui avoir soumis un problème « réel » issu du monde qui l'entoure, votre enfant sera guidé pour lui permettre d'émettre des hypothèses, de les vérifier et de conclure comme un véritable scientifique.

Alors, n'hésitez pas à emboîter le pas, vous aiderez votre enfant à développer sa curiosité intellectuelle et à explorer avec lui le monde fascinant de la science et de la technologie.

Composantes de la compétence

Se familiariser avec des façons de faire et de raisonner propres à la science et à la technologie

EXPLORER LE MONDE DE LA SCIENCE ET DE LA TECHNOLOGIE

S'initier à l'utilisation d'outils et de procédés simples

Apprivoiser des éléments des langages propres à la science et à la technologie

Diagramme tiré du *Programme de formation de l'école québécoise,* ministère de l'Éducation, p. 147.

A C T I V I T É **1**

SCIENCE ET TECHNOLOGIE

Référence au programme du 1er cycle du primaire

- Savoir essentiel : Univers matériel
- Concept unificateur : Classification d'objets selon leurs propriétés et caractéristiques

Variante

Si vous n'avez pas de graines sous la main, il est toujours possible de faire le même exercice en utilisant différents types de noix (si votre enfant ne souffre pas d'allergie... évidemment !).

LA QUESTION PROBLÈME	RÉSUMÉ DE LA SITUATION PROBLÈME
Pourquoi vend-on les graines en sachet séparé ?	Cette activité permettra à votre enfant d'apprendre à classer des objets selon les propriétés et caractéristiques suivantes : forme, taille, couleur, etc.
MATÉRIEL REQUIS	**DURÉE**
5 sachets de graines de fleurs ou de légumes différents.	– temps de préparation : 5 minutes – temps d'expérimentation : 25 minutes – temps de discussion : 15 minutes
DÉMARCHE PROPOSÉE	

Étape 1 : lire la mise en situation avec votre enfant ;
Étape 2 : lui demander ce qu'il pense de la question.
(À ce stade-ci, toutes ses réponses sont acceptées puisqu'il émet ses hypothèses) ;
Étape 3 : faire les expériences avec lui ;
Étape 4 : réviser avec lui les étapes de sa démarche ;
Étape 5 : l'aider à compléter l'activité d'enrichissement ;
Étape 6 : l'aider à faire le transfert de ses connaissances en faisant l'exercice proposé.

CONSEIL PRATIQUE

Pour faciliter l'expérimentation, nous suggérons d'utiliser des graines de fleurs et de légumes de bonnes grosseurs, par exemple : les graines de tournesol, de citrouille, de pignon, de capucine et de melon d'eau.

SAVEZ-VOUS PLANTER DES CHOUX ?

ÉTAPE 1 **Mise en situation**

Les parents de Martin préparent un potager. Martin aperçoit sur la table de la cuisine les sachets de graines qu'ils ont achetés hier. Pour aider ses parents, il décide d'ouvrir tous les sachets et de vider leur contenu dans un grand bol. Mais voilà que ses parents ne sont pas contents du tout. Martin se demande pourquoi les graines ne se vendent pas toutes dans un même sachet... ce serait bien plus simple.

ÉTAPE 2 **Qu'en penses-tu ?** (C'est ton hypothèse)

Coche les réponses qui te semblent correctes :

Les graines se vendent en sachets séparés pour...

a) permettre au marchand
de vendre plus de sachets. ☐

b) s'assurer d'avoir toujours le même
nombre de graines dans chaque sachet. ☐

c) savoir ce qu'on sème et par
la suite ce qu'on récolte. ☐

d) d'autres raisons : _____

Allons vérifier !

ÉTAPE 3 Expérimentons

> **Note au parent**
> Les 2 activités suivantes sont facultatives sauf si votre enfant a coché a) et/ou b) à l'étape 2.

Voici une 1ʳᵉ expérimentation pour vérifier ton hypothèse a : permettre au marchand de vendre plus de sachets.

a) Compare les prix des 5 sachets de graines :

Sachet #1 : _____ $

Sachet #2 : _____ $

Sachet #3 : _____ $

Sachet #4 : _____ $

Sachet #5 : _____ $

b) Qu'observes-tu ?

Est-ce qu'il y a une grande différence de prix entre les sachets ?

Oui ☐ Non ☐

c) D'après toi, est-ce que le prix est une bonne raison pour vendre les graines en sachets ?

Oui ☐ Non ☐

Continuons avec la 2e expérimentation pour vérifier
ton hypothèse b : s'assurer d'avoir toujours
le même nombre de graines dans chaque sachet.

Ouvre deux sachets différents.

a) Compte le nombre de graines.

Sachet #1 : _____ graines

Sachet #2 : _____ graines

b) Qu'observes-tu ?

Est-ce que le nombre de graines est exactement
le même d'un sachet à l'autre ?

Oui ☐ Non ☐

c) D'après toi, est-ce que le nombre de graines
par sachet est une bonne raison pour vendre
les graines en sachets ?

Oui ☐ Non ☐

**Maintenant vérifions ta dernière hypothèse
avec cette 3e expérimentation :**

Hypothèse c : savoir ce qu'on sème et par la suite
ce qu'on récolte.

Ouvre 3 autres sachets et complète le tableau suivant.

SACHETS	DESSINS DE LA GRAINE	FORMES Écris la forme ovale ou ronde	COULEUR Écris la couleur	PRODUIT Dessine ce que tu vois sur le sachet de graines
Sachet #1				
Sachet #2				
Sachet #3				

b) Qu'observes-tu ?

Les graines…

– ont toutes la même forme ?   OUI ☐   NON ☐

– sont toutes de la même couleur ?   OUI ☐   NON ☐

– produisent toutes la même chose ?   OUI ☐   NON ☐

c) D'après toi, est-ce que le fait de séparer les graines dans des sachets est une bonne raison pour savoir ce qu'on sème et ce qu'on récolte ?

OUI ☐   NON ☐

ÉTAPE 4 Comment j'ai fait ?

Ordonne de 1 à 4 les étapes qui t'ont permis de répondre à la question de Martin.

☐ J'ai lu l'histoire de Martin.

☐ J'ai fait des expériences avec les sachets de graines.

☐ J'ai répondu de mon mieux à la question.

☐ J'ai conclu.

ÉTAPE 5 J'approfondis

Sur une feuille, dessine un beau jardin avec ses rangées de fleurs, de fruits et de légumes.

ÉTAPE 6 Je transfère mes connaissances

Trouve un plat que maman (ou papa) fait avec le fruit ou le légume suivant :

Pommes : _____

Carottes : _____

Connais-tu un autre plat que maman fait avec des fruits ou des légumes ? Lesquels ?

_____

_____

ACTIVITÉ 2

Référence au programme du 1er cycle du primaire

- Savoir essentiel : Univers matériel
- Concept unificateur : Changement d'état

Informations pour les parents

Dans la nature, l'eau peut se présenter à l'état liquide (océans et mers, lacs, fleuves et rivières, buée, rosée, brouillard, nuages...) à l'état solide (neige, glace, grêle...) ou à l'état gazeux, donc invisible comme la vapeur d'eau ; cela dépend de la température et de la pression.

Attention aux risques de brûlures.

Soyez prudent avec l'utilisation de l'eau bouillante dans l'activité pour démontrer la formation de buée sur un miroir.

LA QUESTION PROBLÈME	RÉSUMÉ DE LA SITUATION PROBLÈME
L'eau est-elle toujours visible ?	L'activité suivante permettra à l'enfant d'apprendre les changements d'état de l'eau.
MATÉRIEL REQUIS	**DURÉE**
– verres – glace – bouilloire	– temps de préparation : 10 minutes – temps d'expérimentation : variable – temps de discussion : 10 minutes

DÉMARCHE PROPOSÉE
Étape 1 : lire la mise en situation avec votre enfant ; Étape 2 : lui demander ce qu'il pense de la question. (À ce stade-ci, toutes ses réponses, sont acceptées puisqu'il émet ses hypothèses) ; Étape 3 : faire les expériences avec lui ; Étape 4 : réviser avec lui les étapes de sa démarche ; Étape 5 : l'aider à compléter l'activité d'enrichissement.

JOUR DE LAVAGE

ÉTAPE 1 Mise en situation

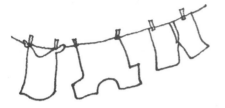

Cet été, en voulant aider maman à suspendre le linge sur la corde, Amélie a remarqué que les vêtements mouillés avaient séché après quelque temps. L'eau avait disparu. Elle se demande si l'eau disparaît aussi lorsqu'on étend le linge sur la corde en hiver.

ÉTAPE 2 **Qu'en penses-tu ?** (C'est ton hypothèse)

☐ Oui, l'eau disparaît sur le linge aussi lorsqu'on l'étend sur la corde en hiver.

☐ Non, l'eau ne disparaît pas sur le linge lorsqu'on l'étend sur la corde en hiver.

☐ Je ne sais pas si l'eau disparaît sur le linge lorsqu'on l'étend sur la corde en hiver.

Allons vérifier !

ÉTAPE 3 Expérimentons

A) Entoure les illustrations où tu vois de l'eau.
Que constates-tu ?

L'eau se présente-t-elle toujours sous la même forme ?

OUI ☐ NON ☐

B) Fais l'expérience suivante :

Remplis 2 verres d'eau. Laisse un verre d'eau sur le comptoir. Puis place l'autre verre d'eau au congélateur durant deux heures.

Complète le tableau.

	DESSINE CE QUE TU VOIS APRÈS 2 HEURES	AS-TU VU UN CHANGEMENT ? ENTOURE TA RÉPONSE	ÉTAT DE L'EAU ENTOURE TA RÉPONSE
Verre d'eau sur le comptoir		OUI NON	Liquide Solide
Verre sorti du congé- lateur		OUI NON	Liquide Solide

J'ai appris que l'eau peut se présenter de deux façons différentes : à l'état liquide et à l'état solide.

C) Maintenant, fais cette nouvelle expérience. Elle te montrera que l'eau peut se présenter sous une autre forme.

a) Demande à maman ou à papa de verser de l'eau bouillante dans un plat. (Attention aux brûlures !)

Que remarques-tu ?

_____

_____

b) Puis place un miroir au-dessus de l'eau.

Que remarques-tu ?

_____

_____

L'eau est à un état gazeux. L'eau est alors invisible. On a l'impression qu'elle disparaît dans l'air mais il n'en est rien. La preuve, c'est qu'au contact du miroir froid, elle revient en gouttelettes... elle n'a jamais disparu dans l'air.

Je conclus

Maintenant je sais que l'eau ⎯⎯ disparaît ⎯.

Elle se transforme. Je sais aussi que l'eau existe

en trois états : L ⎯ Q ⎯ ⎯ ⎯ ⎯

S ⎯ ⎯ ⎯   D ⎯

G ⎯ Z ⎯ ⎯ X

ÉTAPE 4 Comment j'ai fait ?

Énumère dans l'ordre les étapes qui t'ont permis de réussir l'activité sur la classification des objets.

☐ J'ai conclu.

☐ J'ai répondu de mon mieux à la question.

☐ J'ai lu l'histoire de Martin.

☐ J'ai fait des expériences avec l'eau.

ÉTAPE 5 J'approfondis

Repère dans la grille 5 mots qui ont un rapport avec l'eau sous différentes formes. Quels sont ces mots ?

+	+	+	+	B	R
+	G	+	+	U	P
+	+	L	E	É	L
+	+	P	A	E	U
+	A	+	+	C	I
V	N	E	I	G	E

1. B _____

2. G _____

3. N _____

4. P _____

5. V _____

ACTIVITÉ **3**

Référence au programme du 1ᵉʳ cycle du primaire

- Savoir essentiel : Univers matériel
- Concept unificateur : Substances solubles et non solubles

LA QUESTION PROBLÈME	RÉSUMÉ DE LA SITUATION PROBLÈME
Pourquoi le sel disparaît-il dans l'eau ?	Cette activité permet de faire une étude des propriétés de solubilité de l'eau par rapport à plusieurs substances.
MATÉRIEL REQUIS	**DURÉE**
– café en grains – café moulu – sucre – sable	– temps de préparation : 5 minutes – temps d'expérimentation : 20 minutes – temps de discussion : variable
DÉMARCHE PROPOSÉE	
Étape 1 : lire la mise en situation avec votre enfant ; Étape 2 : lui demander ce qu'il pense de la question. (À ce stade-ci, toutes ses réponses, sont acceptées puisqu'il émet ses hypothèses) ; Étape 3 : réaliser les expériences avec lui ; Étape 4 : réviser avec lui les étapes de sa démarche ; Étape 5 : l'aider à compléter l'activité d'enrichissement.	

CONSEIL PRATIQUE

Si c'est possible après cette activité, laissez votre enfant essayer d'autres mélanges et découvrir par lui-même les substances solubles et non solubles.

UN VERRE D'EAU S.V.P.

ÉTAPE 1 Mise en situation

Un ami est en visite à la maison. Tout le monde l'écoute parler de son dernier voyage lorsqu'un hoquet l'empêche de continuer. Ta mère s'empresse de lui offrir un verre d'eau salée pour faire arrêter son hoquet. Bizarre ! Mais pourquoi le sel a-t-il disparu dans l'eau ?

ÉTAPE 2 Qu'en penses-tu ? (C'est ton hypothèse)

Coche les réponses qui te semblent correctes.

Le sel a disparu parce que...

☐ a) le sel prend la couleur de l'eau.

☐ b) le sel s'évapore dans l'air.

☐ c) le sel se dissous dans l'eau.

☐ d) autre chose : _____
_____
_____
_____

Allons vérifier !

ÉTAPE 3 **Expérimentons**

Note au parent
Ces 2 activités sont facultatives sauf
si votre enfant a coché a) et/ou b)
à l'étape 2.

A) Hypothèse A : le sel prend la couleur de l'eau.
Pour le savoir…

   a) Remplis un verre avec un peu d'eau colorée.

   b) Verse beaucoup de sel dans l'eau colorée.

   c) Qu'observes-tu ? Est-ce que le sel a changé
     de couleur ?

   OUI ☐ NON ☐

   Conclusion :

   le sel ne prend pas la _____ de l'eau.

B) Hypothèse B : le sel s'évapore dans l'air.
Pour le savoir…

   a) Verse un peu de sel dans un verre d'eau.
     Qu'observes-tu ?

   b) Goûte à l'eau.

   d) L'eau a-t-elle un goût de sel ?

   OUI ☐ NON ☐

   Conclusion :

   le sel _____ s'évapore _____ dans l'air.

C) Hypothèse C : le sel se dissout dans l'eau.
Pour le savoir…

   a) Verse un peu de sel dans un verre d'eau.

   b) Brasse le liquide avec une cuillère.
   Qu'observes-tu ?

   Conclusion : Mon hypothèse est bonne.

   Le sel se _____ dans l'eau.

D) Maintenant, essayons de trouver des substances
qui ne sont pas solubles dans l'eau.

   Remplis 4 verres avec un peu d'eau. Dans
   chaque verre verse une petite quantité
   de chacun des produits mentionnés dans
   le tableau.

   Coche (✓) les substances que tu auras trouvées
   non solubles dans l'eau.

SUBSTANCES MÊLÉES À L'EAU	NON SOLUBLES
Café moulu	
Café en grains	
Sucre	
Sable	
« Cool-Aid »	
Autres : _____	

ÉTAPE 4 Comment j'ai fait ?

Remets en ordre toutes les étapes qui t'ont permis de conclure.

☐ J'ai fait les expériences avec une substance soluble (comme le sel).

☐ J'ai fait ensuite des expériences sur des substances non solubles.

☐ J'ai lu l'histoire.

☐ J'ai répondu de mon mieux à la question de départ.

☐ J'ai conclu.

ÉTAPE 5° **Je poursuis**

Tu racontes ton expérience sur la solubilité à ton meilleur ami, il te demande si le chocolat en poudre qu'on met dans le lait est soluble ou non.

Entoure ta réponse ?

OUI, il est soluble.

NON, il n'est pas soluble.

Dessine ton résultat.

Référence au programme du 1er cycle du primaire

- Savoir essentiel : Univers matériel
- Concept unificateur : Propriété des matériaux – transparence, translucidité et opacité

Informations pour les parents

Les matériaux se classent en trois grandes catégories quant à leur propriété de transmission de la lumière : transparents, translucides ou opaques. Les matériaux transparents permettent le passage de la lumière sans distorsion, ceux translucides dispersent la lumière de sorte que l'image qui les traverse ne reste pas claire et finalement les matériaux opaques n'en laissent passer aucune.

CONSEIL PRATIQUE

Tout en marchant dans la rue, quantités d'objets vous sauteront aux yeux (lampadaires, affiches, murs, vitrines, etc.) et vous permettront de préparer de façon sommaire cette activité. Profitez de l'occasion.

LA QUESTION PROBLÈME	RÉSUMÉ DE LA SITUATION PROBLÈME
Pourquoi les matériaux réagissent-ils de façon particulière à la lumière ?	Cette activité permet à votre enfant d'expérimenter certaines propriétés des matériaux pour en dégager les notions de transparence, de translucidité et d'opacité.

MATÉRIEL REQUIS	DURÉE
– une lampe de poche – un rideau de douche (salle de bain) – une feuille de papier – une boîte de métal (à biscuits)	– temps de préparation : 5 minutes – temps d'expérimentation : 25 minutes – temps de discussion : 15 minutes

DÉMARCHE PROPOSÉE
Étape 1 : lire la mise en situation avec votre enfant ; Étape 2 : lui demander ce qu'il pense de cette situation. (À ce stade-ci toutes ses réponses sont acceptées puisqu'il émet ses hypothèses) ; Étape 3 : l'encourager à trouver une solution et l'aider à conclure ; Étape 4 : ordonner avec lui les étapes de son expérimentation ; Étape 5 : faire l'activité sur le transfert des connaissances.

UNE BONNE CACHETTE...

ÉTAPE 1 Mise en situation

Maxime joue à la cachette chez un ami. Il court
à la salle de bain, la meilleure cachette du monde.
Il se cache vite derrière le rideau de douche. Zut !
Son ami le trouve tout de suite. Pourquoi ?

ÉTAPE 2 **Que s'est-il passé ?** (C'est ton hypothèse)

Coche la ou les réponses qui te semblent vraies.

Maxime a été trouvé parce que...

☐ a) il n'était pas assez bien caché dans le bain.

☐ b) il y avait trop de clarté dans la salle de bain.

☐ c) son ami a vu l'ombre de Maxime à travers
le rideau de douche.

☐ d) autre chose : _____
_____
_____
_____

Allons vérifier !

ÉTAPE 3 **Vérifions** (C'est ton expérimentation)

Hypothèse b : il y avait trop de lumière dans la salle de bain.

Pour faire cette expérience, tu as besoin d'une lampe de poche et d'une boîte de métal (de biscuits). Dirige la lumière de la lampe de poche au fond de la boîte. Regarde de l'autre côté de la boîte.

Qu'observes-tu ? La boîte laisse-t-elle passer la lumière ?

OUI ☐ NON ☐

Maintenant, refais l'exercice avec une lampe plus forte.

Qu'observes-tu ? La boîte laisse-t-elle passer la lumière ?

OUI ☐ NON ☐

Conclusion. Même si la lumière est forte, il y a certains matériaux qui ne laissent pas passer la lumière.

VRAI ☐ FAUX ☐

Hypothèse c : son ami a vu l'ombre de Maxime à travers le rideau de douche.

Pour faire cette expérience tu as besoin d'une feuille de papier et d'une lame de poche. Dirige la lampe de poche sur la feuille de papier.

Qu'observes-tu ? La feuille de papier laisse-t-elle passer la lumière ?

OUI ☐ NON ☐

Conclusion :

a) Il y a des objets (ex. : une feuille de papier) qui laissent passer la lumière partiellement.

VRAI ☐ FAUX ☐

b) Il y a des objets (ex. : une boîte en métal) qui ne laissent pas passer la lumière du tout.

VRAI ☐ FAUX ☐

c) Il y a des objets (ex. : une vitre) qui laissent passer la lumière entièrement.

VRAI ☐ FAUX ☐

Lis bien ceci : Les objets qui laissent passer la lumière entièrement sont fabriqués de matériaux **transparents**.

Les objets qui laissent passer la lumière partiellement (on ne voit pas clairement l'objet) sont fabriqués de matériaux **translucides**.

Les objets qui ne laissent absolument pas passer la lumière sont fabriqués de matériaux **opaques**.

Replace ces mots au bon endroit.

TRANSLUCIDE – OPAQUE – TRANSPARENT

DONC, le rideau de douche dont parle Maxime dans l'histoire est fait d'un matériau

TR＿＿＿L＿＿＿＿E ou TR＿＿SP＿＿＿＿T.

Comment j'ai fait ?

Énumère dans l'ordre les étapes qui t'ont permis de réussir l'activité sur la propriété des matériaux.

☐ J'ai fait les expériences avec les matériaux et la lumière.

☐ J'ai réfléchis à la question de Maxime.

☐ Maintenant, je connais la réponse à la question de Maxime.

☐ J'ai lu l'histoire.

ÉTAPE 5 Je poursuis

Promène-toi dans la maison avec une lampe de poche et pointe la lumière sur les objets. Puis complète le tableau suivant.

DESSIN DE L'OBJET	NOM DE L'OBJET	LAISSE PASSER LA LUMIÈRE PARTIELLE-MENT	LAISSE PASSER LA LUMIÈRE ENTIÈRE-MENT	NE LAISSE PAS PASSER LA LUMIÈRE DU TOUT
	Une porte			X

ACTIVITÉ **5**

SCIENCE ET TECHNOLOGIE

Référence au programme du 1er cycle du primaire

- Savoir essentiel : Univers matériel
- Concept unificateur : Partie externe du corps humain

LA QUESTION PROBLÈME	RÉSUMÉ DE LA SITUATION PROBLÈME
Comment fonctionnent les yeux ? (Fonctionnement de l'œil externe.)	Cette activité permet à votre enfant d'apprendre le vocabulaire relatif à l'œil externe en plus de comprendre comment l'œil réagit à la lumière.
MATÉRIEL REQUIS	**DURÉE**
– yeux à observer – lampe de poche – loupe – pièce sombre – un stylo et son capuchon	– temps de préparation : 5 minutes – temps d'expérimentation : 20 minutes – temps de discussion : 10 minutes
DÉMARCHE PROPOSÉE	
Étape 1 : lire la mise en situation avec votre enfant ; Étape 2 : lui demander comment fonctionne les yeux (À ce stade-ci, toutes ses réponses sont acceptées, c'est l'étape des hypothèses) ; Étape 3 : l'encourager à faire les expériences ; Étape 4 : ordonner avec lui les étapes de son expérimentation ; Étape 5 : poursuivre avec lui les activités d'enrichissement.	

DES YEUX MAGIQUES

 **Mise en situation**

C'est l'heure du souper lorsque soudain, tout
devient noir ! Le souper est paralysé par une panne
d'électricité. Quand tout revient à la normale,
Eloi confie à sa mère que ses yeux ont trouvé bizarre
le retour de la lumière. Que s'est-il passé ?

ÉTAPE 2 **Comment ont réagi les yeux d'Éloi
à la lumière ?**

Coche la ou les réponses qui te semblent vraies.

☐ a) Ils picotaient.

☐ b) Ils sont restés fermés.

☐ c) Ils étaient éblouis par le retour de la lumière.

☐ d) Autres : _____
_____

Allons vérifier !

ÉTAPE 3 **Vérifions** (C'est ton expérimentation)

> Peut-être que les yeux d'Éloi picotaient un peu ou qu'il a décidé de les laisser fermés mais allons vérifier plutôt comment l'intérieur de l'œil réagit à la lumière (hypothèse C).

Pour cette expérience, demande à papa (ou maman) d'ouvrir les yeux. Observe bien sa pupille (c'est la partie noire tout au centre de l'œil). Puis dessine ce que tu vois dans le carré #1.

Ensuite, entre avec lui dans une pièce sombre. Pointe la lampe de poche dans son œil. Observe encore une fois sa pupille. Puis dessine ce que tu vois dans le carré #2.

#1 Avant

#2 Après

Qu'observes-tu ? Est-ce que la grandeur de la pupille a changé ?   OUI ☐   NON ☐

Si oui, c'est que la pupille réagit à la lumière. Voilà pourquoi les yeux d'Éloi ont pris quelques minutes pour s'adapter à la lumière qui revenait.

Maintenant, voici le dessin d'un œil. Essaie de compléter les différentes parties.

1. Le sourcil
2. La paupière
3. La pupille
4. L'iris
5. Les cils

a) _____
b) _____
c) _____
d) _____
e) _____

ÉTAPE 4 Comment j'ai fait ?

Énumère dans l'ordre les étapes qui t'ont permis de connaître un peu plus sur le fonctionnement de l'œil.

☐ J'ai appris les différentes parties de l'œil.

☐ J'ai lu l'histoire.

☐ J'ai répondu du mieux que je pouvais à la question.

☐ J'ai fait les expériences en pointant la lumière dans un œil.

☐ Je connais maintenant plusieurs choses sur les yeux.

ÉTAPE 5 Je poursuis

Quel sens manque à l'appel ?

1. L'odorat

2. L'ouïe

3. Le toucher

4. Le goût

5. _____

ACTIVITÉ D'ENRICHISSEMENT

Voici un mot croisé qui regroupe des mots nouveaux que tu as lus au cours de tes expériences. Utilise les indices ci-dessous pour le compléter. Bonne Chance !

Horizontalement
1. edsoli
4. peurva
7. llepupi
8. ciedslunart

Verticalement
2. queopa
3. parentsnart
5. éebu
6. mefor
9. belulso

CORRIGÉ

FRANÇAIS

Activité 1

2. a-chat, e-, i-livre, o-dos, u-ruche, é-fée, è-fève.

9. chat, girafe, papillon.

10. jupe, cube, ceinture, plume.

11. allumette, autruche, tortue.

13. can**o**t, b**o**bine, perr**o**quet, car**o**tte.

14. **t**able, ca**m**ion, tom**a**te.

15. casquette, livre, poupée, chat, toupie, nid, canot, tortue, bobine, plume, papillon, cube, perroquet, soldat, jupe.

Activité 2

2. canot, tortue, carotte, pupitre, girafe.

4. la première lettre : b.

5. une bobine, un ballon, un bouton, une bûche, une banane, un bateau, une brebis, un balai, une balle, une bougie.

6. la bobine, le ballon, le bouton, la bûche, la banane, le bateau, la brebis, le balai, la balle, la bougie.

11. é/pin/gle, pin/ce, pi/que, at/tra/pe.

12. une = 1, aiguille = 2, je = 3, te = 4, pique = 5.

13. Je t'attrappe : 3 mots.

14. mots entourés : brebis, hibou, abeille ; non entouré : cheval.

16. a) cheval, b) abeille, c) hibou, d) brebis.

18. macaroni, pomme, matin, ami.

19. a) pomme, b) chat, c) ami, d) macaronis, e) matin, f) vache.

21. **po**mme, **ma**man, **ba**teau, **bo**bine, **pu**pitre.

22. timbre, table, lunettes, tomate.

23. tomate, pupitre, patate, tortue, tapis.

24. table, toupie, cravate, patin, tomate.

25. pan**ta**lon, pé**ta**le, **ta**sse, **té**léphone, **ta**pis, gui**ta**re.

Activité 3

1. domino, pédale, dé, dîner.

3. bonbon, dinde, cousines, dîner, pincée.

4. un dindon, un cheval, une dinde, une brebis, une tortue, un papillon.

5. dindon, cheval, papillon.

6. fée, carafe, farine.

9. lion, livre, lampe, lapin, losange, 3 mots ne sont pas encerclés.

10. cheval, lit, balle, bulle, pédale, allumette, table, blanc, plume, bleu.

11. un cheval, un lit, une balle, une bulle, une pédale, une allumette, une table, une plume.

12. a) de la tortue ; b) de la grenouille.

13. mouille, fée, tortue, farine, balle, bougie, fête.

14. a) papillon, b) limace, c) farine, d) pédale.

15. a, b, d, e, i, l, o, u.

16. 5 mots.

17. a, b, c, e, f, i, l, o, p, s, u, z.

18. u, s.

19. mots féminins : salle, sève, salade, soupape, soie ; mots masculins : silo, sofa, sel, sabot, soja, sol, sud, souper, sourire, soulier.

20. sol, selle, salle.

Activité 4

1. a) mot- Ma, morte-Je, feu-Ouvre ; b) Pierrot, Dieu ; c) 4 phrases.

2. Au clair de la lune mon ami Pierrot
prête-moi ta plume pour écrire un mot.
Ma chandelle est morte. Je n'ai plus de feu.
Ouvre-moi ta porte, pour l'amour de Dieu.

3. bravo, jaune, chapeau, tortue.

5. **o :** pomme, sabot, domino, pot, auto ; **au :** artichaut, landau, guimauve, auto, autruche ; **eau :** oiseau, escabeau, ciseau, rideau, marteau.

7. compote, faut, pommes, eau, casserole, couteau, pommes, peau, casserole, eau, casserole, emporterai, compote, école.

8. B, F, I, L, M, O.
N, O, P, T, U, W, X.
e, f, h, i, j, m, n, o, p.

9. karaté, Dominik, kiwi, koala, képi.

11. couleur, carotte, domino, moineau, taureau, banane, rideau, déjeuner, jardin, fenêtre.

Activité 5

1. C'est le fils Prosper.

Il est sous l'armoire allongé.

Parce que la baleine ne lui a rien fait.

3. è = è : lèche, vipère, mère, poème, très, élève ;
   è = ai : maison, laine, faire, marraine, maire, bedaine, aide, laide.

4. 1-d, 2-f, 3-a, 4-b, 5-g, 6-e, 7-c.

5. mots entourés : cime, puce, pièce ; cinéma ;
   mots soulignés : colle, capot, caisse, couteau, cachalot, école, maculé, courage, cuve.

7. g doux : neige, girafe, gara**g**e, bougie, solfège, **g**igot, gîte ;
   g durs : bagarre, goglu, **g**arage, légume, gi**g**ot, Margot, gâté.

Activité 6

1. a) chat, lèche, b) vache, cheval, c) Marcel, fil.

2. Je te donne, Un chapeau, Un petit sac, Pour, Un parasol, Avec – manche, Un habit – sur, Des, Ne – dimanche, Un – des, Tiou.

3. Chaussure, voici, pain, donneur, rouge.

5. v.

7. b, e, i, m ;   f, i, l, m, o ;   r, s, t, v, z.

9. fête, chapeau, sac.

10. ch : chapeau, cheminée, chicorée, chameau, chemise, chocolat, chaloupe, chicane ;
    h : héron, hôpital, hublot, habit, horloge, hérisson, harpe, halte, haltère.

11. cheval, héron, horloge, herbe, hublot, histoire.

12. Le chien lèche le bol de lait et le chat le regarde.
    Le cheval et la vache sont dans le pré.
    Je te donne pour ta fête un beau cadeau.

Activité 7

2. a) des enfants, b) des outils, c) des histoires, d) Le singe e) des amis, f) Les abeilles sont.

3. a) du foie, b) la ville de Foix, c) parce qu'elle en vend peu, d) 4 : fois, foie, Foix, foi.

4. poil, minois, doigt, poisson, soif, bois, toile, soie, loi.

5. tousse, poule, minois, roue, doigt, housse, bois, toile, reine, soie.

6. ou : poule, amours, vous ;
   eu : feu, dieux, cheveu.

7. oi : oie, proie, pois, trois, poireau, poivre ; ou : sourdine, dégouline, partout, bouton, tambour, cantaloup ; eu : cheveu, peureux, deux, râpeux, heureux, vénéneux.

8. peureux, dangereux, joyeux, grincheux, valeureux, paresseux.

9. a) agneau, b) compagnon, c) magnifique, d) grognon, e) champignons, f) grignote, g) égratignures.

10. a) qui, b) aussi, c) trop, d) jamais.

Activité 8

1. a b c d e f g h i j k l m n o p q r s t u v w x y z.

2. jardin, bizarre, déjà, zèbre, jambon, Julie, zigzag, jambe, gaz, jungle, zibeline, jonquille, zéro, jaune, juin, gazelle, judo, zoo.

3. a) septembre, b) mandarine, c) ruban, d) lampe, e) tempête.

6. bombes, dragons, faucons, savons, jupons, pompes.

7. pom/pier, com/me, co/lon/ne, pom/pis/te, con/te, pom/me, pom/pe, mai/son, hom/me, gal/lon.

8. on : pompier, pompiste, conte, pompe, maison, gallon ; son différent : comme, colonne, pomme, homme.

9. éléph**an**t, bl**anc**, **en**tre, d**an**s, **en**, trottin**an**t, six.

10. an : enfant, manger, danseur, maman, dent, géant, friandise, framboise, pantalon, volant, blanc, lent, tempe, grande.

11. un : lundi, parfum, brun.

12. parfum, plante, tente, pompier, lampe, jardin.

13. a) arbres, b) forte, c) porte, d) canard, e) mur.

15. a) zèbre, b) gris, c) trois, d) grand, e) frileux, f) électricien.

Activité 9

1. après : c, g, l, n, h, v ; avant : c, a, l, p, r, x ; entre : h, b, u, l, r, y.

3. écureuils, nouilles, feuilles, bétail, billet, coquillages.

4. faut**euil**, coqu**ill**ages, ort**eils**, sol**eil**, r**ail**, **ail**, gren**ouille**.

5. a) groseilles, b) éveille, c) oreiller, d) quilles, e) écailles.

6. la quille, la corbeille, le fauteuil, la chenille, la bille, la bouteille.

9. a) faux, b) vrai, c) vrai, d) faux, e) vrai, f) vrai.

10. premier encadré.

11. entièrement, petit, beau, tout ce, fête, Hier, bouteille, une bille, rouillée, cousin, bien, d'à côté, un peu, trouvé, donnée.

Activité 10

1. mots entourés : camion, couteau, école, faucon, confiture ; mots soulignés : taquine, cirque, magique, queue, raquette, barque, biquette ; mots intacts : guitare, figue, cerise, tigre ; 4.

2. guidon, baguette, casquette, disque, guitare, requin.

3. qui, chat, qui, qui, qui, chat, perdu.

5. x = s : dix, six ; x = z : dixième ; x = gz : examiner, exercice, examen, exact ; x = ks : boxe, index, exploser, klaxon, excuses, texte ; x = ∅ : joyeux, deux, frileux.

7. content-heureux, une voiture-un taxi, très bon-excellent, fâché-vexé.

9. six, bêtises, texte, s'excuser, xylophone, Félix, exprès.

10. mots hors texte : dix, huit, blague, sottise, klaxon, taxi.

11. la tulipe.

MATHÉMATIQUE

Activité 1

1. sucette : Marie, Sonia, Alou ; pomme : Marco, Colin, Lucas.

2. Les objets : des jouets, des fruits, des assiettes, des verres ; la clôture, la nappe, les arbres, les fruits : ananas, poires, bananes, pommes.

3. pomme.

4. ordre croissant : d) a) b) c) e).

5. ballon 1 étoile à 1, ballon 2 étoiles à 2, etc.

6. a) le chat est sur le banc ; b) 7 enfants ; c) 2 enfants à droite et 2 à gauche ; d) des fruits, des bols et des assiettes ; g) non ; h) 7 bonbons.

7. faire correspondre tasse-pois à soucoupe-pois, tasse-étoiles à soucoupe-étoiles, etc.

9. 4, 6, 3, 5, 9 ; nombres manquants : 3, 5, 8 ; ensembles présents : 5, 6, 7, 8 ; ensemble vide : dessiner 3 éléments.

10. 1, 3, 5, 4, 8.

12. deux, un, trois, quatre, cinq, zéro.

Activité 2

1. b) tableau : 2, 8, 9, 5 ; c) cubes 4 et 6 ; d) 3 groupements de poupées, 2 groupements de livres ; 2 groupements d'animaux ; e) 10.

2. a) 3 groupes 2 unités, b) 2 groupes, 5 unités, c) 3 groupes, 2 unités.

3. oursons : 1 dizaine, 1 unité ; bateaux : 1 dizaine, 5 unités ; chats : 1 dizaine, 4 unités ; fusées : 1 dizaine, 8 unités ; collection la plus nombreuse : fusées.

4. le chiffre 3.

5. 6 rondelles, 7 toupies, 8 crayons, 9 chaussettes, 10 grenouilles.

6. 5 hippocampes, 7 poissons, 5 étoiles de mer, 9 poissons, 9 chiots, 10 cochons d'Inde, 8 chatons, 12 salamandres.

7. oiseaux : 1 groupement et 8 unités ; crayons : 1 groupement et 1 unité.

8.

9. a) mardi ; b) jeudi ; c) 12, 15, 17, 18, 19.

10. a) Fatma, b) Kim, c) 2e : Suzanne, 3e : Léa, 6e : Marc, d) 24, 22, 20, 19, 18, 16, 14,
    e) Fatma, Suzanne, Léa, Vassili, Lison, Marc, Kim.

Activité 3

1. le 2 de cœur.

2. 4 boutons, 7 boutons ; plus petit : 12.

3. 16-17-18-19-20-21-22-23-24-25.

4. avant : 5, 13, 19 ; vient entre : 13, 16, 24 ; après : 29, 16, 1.

5. a) Famille : Mario, Paule, Jean-François, Maman, Papa ;
   b) $14 > 4$, $12 < 17$, $5 < 25$, $18 > 2$, $10 > 7$, $14 = 14$, $9 > 2$, $28 < 30$.

6. tous les chiffres compris ente 10 et 20 ; tous les chiffres compris entre 25 et 10,
   et entre 10 et 5.

7. 25-vingt-cinq, 20-vingt, 16-seize, 11-onze, 12-douze, 4-quatre, 5-cinq.

9. $1 + 4$, $2 + 3$, $3 + 2$, $4 + 1$, $5 + 0$, $0 + 5$.

Activité 4

1. a) sucettes, b) échelle à 5 barreaux, c) pommes, d) ensemble de 5 pots de
   fleurs.

2. a) 2, b) 4, c) 3, d) 1, e) 5, f) 6.

3. a) $1 + 4 = 5$, b) $4 + 1 = 5$, c) $3 + 2 = 5$, d) $4 + 2 = 6$, e) $2 + 3 = 5$, f) $1 + 4 = 5$.

4. a) $3 + 3 = 6$, b) $5 + 3 = 8$, c) $3 + 3 = 6$.

5. 10 moules.

6. a) il y a plus d'assiettes que de bougies et que de gâteaux ; $16 > 14 > 13$.
   b) 14.

7. $1 + 1 = 2$, $1 + 3 = 4$, $2 + 1 = 3$, $2 + 2 = 4$, $1 + 2 = 3$, $3 + 1 = 4$;
   $2 - 1 = 1$, $3 - 2 = 1$, $4 - 1 = 3$, $3 - 1 = 2$, $4 - 3 = 1$, $4 - 2 = 2$.

8. 0, 2, 7, 8, 9, 12, 15, 18, 25, 29, 37, 38.

9. 1-2-3-4-5-6-7-8-9-10-11-12-13-14-15-16-17-18-19-20-21-22-23-24-25-26-27-28-29-30-
   31-32-33-34-35-36-37-38-39-40.

Activité 5

1. a) $3 + 1 = 4$, b) $2 + 2 = 4$, c) $3 + 0 = 3$.

2. $1 + 5 = 6$, $6 - 2 = 4$, $6 + 0 = 6$, $6 - 5 = 1$, $2 + 4 = 6$, $6 - 3 = 3$, $6 - 0 = 6$, $6 - 1 = 5$,
   $6 - 4 = 2$, $3 + 3 = 6$.

3. $6 = 6$, $5 \neq 6$, $6 \neq 4$, $6 \neq 2$, $3 = 3$; $6 = 6$, $3 = 3$, $1 \neq 2$, $6 = 6$, $1 = 1$.

4. a) $2 + 1 + 2$, $4 + 1$, $2 + 3$, $5 + 0$, $3 + 2$, $1 + 4$, $1 + 2 + 2$; b) tout mot de cinq lettres
   ex. : pomme, poire, lampe, etc.

5. a) $6 - 4 = 2$, b) $6 - 2 = 4$, c) $6 - 1 = 5$.

6. $(3 + 5 =) 8$, $(3 + 4 =) 7$, $(3 + 3 =) 6$, $(3 + 2 =) 5$;
   $(4 + 5 =) 9$, $(4 + 4 =) 8$, $(4 + 3 =) 7$, $(4 + 2 =) 6$.

7. $5 + 3 = 8$.

8. 4, 3, 5, 1, 5, 5, 3, 0, 4.

9. 3, 4, 3, 3, 7, 10, 7, 0.

10. ... 9, 12, 15 ; ... 7, 10, 13, 16, 19, 22, 25.

11. 5 + 4, 1 + 8 et 3 + 6 ; 2 + 6 , 9 − 1 et 7 + 1.

12. ... 6, 8, 10, 12, 14, 16, 18.

13. ... 5, 7, 9, 11, 13, 15, 17, 19.

14. ... 4, 6, 8, 10, 12, 14, 16.

15.

2	6	4	1	6
1	4	3	4	4
6	3	2	6	3
5	2	3	5	3
5	4	5	5	5
5	5	3	6	6

16. 31, 32, 33, 34, 35, 36, 37, 38, 39.

17. 38 ; 40.

18. 39 bonbons, 20 bonnes notes, 38 billes, 37 jujubes.

19. 25 perles.

20. 40 perles.

Géométrie

Activité 7

1. *roulent et glissent :* les 2 cylindres, cône ; *roulent et ne glissent pas :* sphère ; *glissent et ne roulent pas :* cube, pyramide à base carrée, pyramide à base rectangulaire, prisme à base carrée ; *ne roulent pas* et *ne glissent pas :* aucun.

2. canapé, coffre : prisme à base rectangulaire ; téléviseur, cuisinière : cube ; lampe : sphère ; commode : prisme à base carrée ; panier en osier : cylindre.

3. 7 carrés, 8 triangles, 2 cercles, 21 rectangles.

Activité 8

1. bouton, cerise, disque, assiette : cercle
cube, biscuit, réveil : carré
domino, carte, valise, timbre : rectangle
panneau, fanion, clocher, tipi : triangle.

2. a) cercle, carré, triangle ;
b) au choix : rectangles ou carrés ;
c) triangles.

Les mesures

Activité 9

2. elles sont égales.

6. ciseaux 4 cm, disquette d'ordinateur 3 cm, petit tournevis 4 cm, gomme à effacer 3 cm, trombone 2 cm, stylo 4 cm, carte professionnelle 3 cm de largeur et 4 cm de longueur.

SCIENCE ET TECHNOLOGIE

Activité 1

Étape 3

1re expérimentation

b) non

c) non

2e expérimentation

b) non

c) non

3e expérimentation

b) même forme : Non

même couleur : Non

produisent toutes la même chose ? Non

c) oui

Étape 4

1-3-2-4

Étape 6

Suggestions de plats avec les pommes : de la compote - une tarte, avec les carottes : un gâteau - un gratin.

Activité 2

Étape 3

A) rivière, patinoire, verre d'eau. L'eau ne se présente pas toujours sous la même forme.

B)

	Dessine ce que tu vois après 1 heure	As-tu vu un changement ? Entoure la réponse	État Entoure la réponse
Verre d'eau sur le comptoir		Oui (Non)	(Liquide) solide
Verre sorti du congélateur		(Oui) Non	Liquide (solide)

C) Maintenant je sais que l'eau NE disparaît PAS. Elle se transforme. Je sais aussi que l'eau existe en trois états : LIQUIDE, SOLIDE et GAZEUX.

Étape 4

3-2-4-1

Étape 5

1. BUÉE 2. GLACE 3. NEIGE 4. PLUIE 5. VAPEUR

Activité 3

Étape 3

A) Hypothèse A : Est-ce que le sel a changé de couleur ? Non

Conclusion : le sel ne prend pas la couleur de l'eau.

L'eau prend-elle

B) Hypothèse B : L'eau a-t-elle un goût de sel ? Oui

Conclusion : le sel ne s'évapore pas dans l'air.

C) Hypothèse C : Le sel se dissous dans l'eau.

D)

Substances mêlées à l'eau	Non soluble
Café moulu	✓
Café en grains	✓
Sucre	
Sable	✓
« Cool-aid »	

Étape 4

3-4-1-2-5

Étape 5

OUI, il est soluble

Activité 4

Étape 3

Hypothèse B. a) NON b) NON Même si la lumière est forte, il y a certains matériaux qui ne laissent pas passer la lumière. VRAI

Hypothèse C) : OUI

a) VRAI

b) VRAI

c) VRAI

DONC, le rideau de douche dont parle Maxime dans l'histoire est fait d'un matériau TRANSLUCIDE ou T RANSPARENT.

Étape 4

4-2-1-3

Activité 5

Étape 3

Est-ce que la grandeur de la pupille a changé ? OUI

b) 1a) 2d) 3b) 4e) 5c)

Étape 4

2-3-4-1-5

Étape 5

La VUE

Activité 6

SOLUTION

Horizontalement

1. solide

4. vapeur

7. pupille

8. translucide

Verticalement

2. opaque

3. transparent

5. buée

6. forme

9. soluble

LEXIQUE

FRANÇAIS

Code grammatical : ensemble des règles d'écriture, de formation de mots et de formation de phrases qui régissent le français.

Consigne (affirmative et négative) : directive donnée de façon affirmative ou négative sur ce qui doit être effectué.

Consonne : lettre de l'alphabet (b, c, d, f, g, h, j, k, l, m, n, p, q, r, s, t, v, w, x, z) ; toutes les lettres qui ne sont pas des voyelles.

Définition : énoncé par lequel on explique un mot.

Discrimination : action d'isoler, de reconnaître des mots dans la phrase, des sons dans le mot.

Genre : convention grammaticale fondée sur la distinction du féminin (la, une) et du masculin (le, un).

Globale (lecture) : méthode de lecture faisant appel à la mémorisation des mots ; l'enfant *photographie* certains mots qu'il *lit* plus facilement par la suite.

Graphie : représentation écrite d'un mot.

Groupe nominal : groupe de mots organisés autour d'un nom noyau. Exemple : Le cycliste est rapide.

Groupe verbal : verbe conjugué ou groupe de mots dont le noyau est un verbe conjugué. Exemple : Je lis la phrase.

Homonymie : mots dont l'écriture et la lecture se confondent.

Liaison : prononciation de la dernière ou avant-dernière consonne d'un mot liée à la voyelle initiale du mot suivant.

Liens grammaticaux : ce qui établit un rapport logique. Exemple : le pluriel ou le féminin de certains mots sont régis par des mots de même nombre ou même genre.

Mot-outil : petit mot appris tel quel et qui sert à beaucoup d'occasions.

Nombre : le singulier (une unité) et le pluriel (plusieurs unités) sont les deux nombres du français.

Orthographe grammaticale : la façon exacte d'écrire un mot.

Paraphraser : dire ou expliquer en d'autres mots.

Phrase : unité de sens ; en français la phrase commence par une lettre majuscule et se termine par un point.

Pluriel : catégorie grammaticale utilisée pour indiquer un nombre supérieur à un.

Ponctuation : signes graphiques (point, virgule, tiret) qui séparent la phrase en unités logiques.

Singulier : catégorie grammaticale utilisée pour indiquer un seul objet, un seul être.

Sons : unité de mot distinctif composé d'une ou de plusieurs voyelles.

Synonymes : mots ayant à peu près le même sens. Exemple : canapé et sofa.

Syllabe : unité de son groupant des consonnes et/ou des voyelles.

Syllabe complexe : unité de son utilisant deux consonnes en début de syllabe (ex. : bra).

Syllabe inverse : unité de son utilisant la séquence voyelle-consonne ou consonne-voyelle-consonne (ex. : il, vil).

Syntaxique (élément) : chacun des mots qui composent une phrase.

Voyelle : lettre de l'alphabet (a, e, i, o, u, y) ; toutes les lettres qui ne sont pas des consonnes.

Voyelle nasale : voyelle liée à un **n** ou à un **m** et possédant un son distinct (an, en, in, on, un).

MATHÉMATIQUE

Arête : angle saillant (qui dépasse) d'un solide.

Base : nombre d'unités nécessaires pour former un groupe.

Biunivoque (correspondance –) : correspondance entre deux ensembles telle qu'à chaque élément de l'un corresponde un et un seul élément de l'autre.

Chiffre : caractère représentant un nombre (c'est un symbole, non une valeur).

Cône : solide à base circulaire terminé en pointe.

Croissant (ordre) : qui croît, du plus petit au plus grand.

Cube : solide à 6 faces carrées.

Cylindre : solide rond, long et droit.

Décroissant : qui décroît, qui diminue du plus grand au plus petit.

Disjoints : qui n'ont aucun élément commun (semblable).

Ensemble : réunion d'éléments formant un tout.

Espace : étendue dans laquelle on se trouve.

Estimer : déterminer la valeur, évaluer.

Face : chacune des surfaces d'un solide.

Frontière : limite qui sépare une chose d'une autre.

Généraliser : raisonner, conclure du particulier au général.

Géométrie : science mathématique qui étudie les relations entre points, droites, courbes, surfaces et volumes de l'espace.

Graphique : représentation de données sur un tableau à deux entrées (entrée verticale et entrée horizontale).

Nombre : notion fondamentale des mathématiques qui permet de dénombrer (de compter des unités).

Nombres naturels : ensemble des nombres compris entre 0 et l'infini (ne comprend pas les fractions).

Numération : action de compter, de dénombrer.

Opération : en calcul, il y a quatre opérations : l'addition, la soustraction, la multiplication et la division.

Plan : surface renfermant des droites qui s'entrecoupent.

Propriété : ce qui est le propre, la qualité particulière.

Regroupement : mettre ensemble pour former un groupe ou pour faire une opération mathématique.

Séquence : éléments qui se suivent de façon ordonnée.

Solide : en géométrie, nom attribué aux objets de trois dimensions (cube, cône, cylindre, etc.).

Sphère : surface fermée dont tous les points sont à la même distance du centre (une balle est une sphère).

Suite : série de choses rangées.

Unité métrique : unité ayant pour base le mètre.

SCIENCE ET TECHNOLOGIE

Bruine : n. f. Petite pluie très fine et souvent froide qui résulte de la précipitation du brouillard.

État : n. m. Manière d'être (des corps), résultant de la plus ou moins grande cohésion de leurs molécules. *État solide, liquide, gazeux.*

Gaz : n. m. Corps fluide indéfiniment expansible, occupant tout le volume dont il dispose, Vapeur invisible, émanation.

Gazeux : adj. Relatif au gaz ; de la nature des gaz. *État gazeux* (opposé à *liquide, solide*).

Grêle : n. f. Précipitation constituée de grains de glace.